ЕЩЕ РАЗ ПРО ЛЮБОВЬ

Романы *Татьяны Алюшиной*

Татьяна Алюшина

Формула моей любви

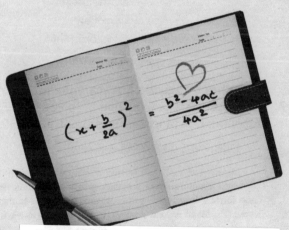

Москва
2019

УДК 821.161.1-31
ББК 84(2Рос=Рус)6-44
А59

Художественное оформление серии
Е. Анисиной

Алюшина, Татьяна Александровна.

А59   *Формула моей любви* : [роман] / Татьяна Алюшина. — Москва : Эксмо, 2019. — 352 с.

ISBN 978-5-04-103544-0

Марк — гениальный математик, но у него очень тяжелый характер. Единственная девушка, которая может к нему приспособиться, с которой у них полное духовное единение, это Клава. Но Марк выдвигает неожиданные условия — мы будем только друзьями, на большее не рассчитывай. И вот проходит десять лет...

УДК 821.161.1-31
ББК 84(2Рос=Рус)6-44

ISBN 978-5-04-103544-0   ООО «Издательство «Эксмо», 2019

*Выражаю глубокую благодарность
за оказанную помощь
при написании данной книги
кандидату физико-математических наук
Беляеву Владимиру Валентиновичу*

Смартфон на столе, вибрируя, глухо гудел низким однотонным звуком и всё пиликал и пиликал незатейливой мелодийкой вызова с то затухающей, то нарастающей вновь громкостью звука, настойчиво требуя от абонента немедленно откликнуться на призыв, а Клава смотрела и смотрела на снимок на экране, по которому бегала снизу вверх стрелочка, указывая особо забывчивым пользователям, как именно необходимо провести пальцем, чтобы ответить наконец на затянувшийся вызов.

Вот так — вжик по экранчику легонечко — и «алло?», и все, вы разговариваете.

Хорошо же. Легко и просто. Давай ответь!

Этот снимок Клавдия сделала в пригороде Берна, полтора года назад. Только-только начиналась весна, пока еще робко, но уже настойчиво заявляя о своем приходе. Деревья казались сказочными в кружевных воздушных кронах, из почек пробивалась юная поросль, и воздух был совершенно особенным, каким-то сказочным и вкусным, обещающим что-то непременно интересное, радостное и захватывающее впереди. И даже вода в озере, на берегу которого они сидели, казалась веселой, будто ожидала того самого обещанного прекрасного будущего, рассылая вокруг солнечные блики.

Они тогда с Марком забрались на пригорок, подальше от цивильного променада вдоль речки, от курсирующих по нему людей, поспешивших выбраться на прогулки и пробежки на пригревшее, пока еще редкое, робкое солнышко и нашли это замечательное панорамное местечко, недалеко от стен старинного замка с потрясающим видом. Долго привычно молчали, сидя на сложенном в несколько слоев пледе, который Клавдия предусмотрительно прихватила с собой из гостиничного номера.

Наверняка администрация гостиницы возразила бы против такого использования их имущества, о чем и оповещала в памятке со сводом правил проживания, которую вручали постояльцам при заселении лично в руки.

Но Клава подбадривала себя рассуждениями о том, что, во-первых, у нее возникла такая необходимость, а во-вторых, что за те сумасшедшие деньги, которые тут дерут с постояльцев, можно этими пледами обвешаться с ног до головы в несколько слоев и с чистой совестью из этой гостиницы вынести все, вплоть до старинной чугунной лоханки на толстых львиных лапах, стоявшей посреди огромной, полупустой, гулкой и холодной ванной комнаты.

Но с лоханкой-то бог бы — пусть себе стоит, где стояла, а вот без пледа никак нельзя — Клавдия точно знала, что они будут долго бродить и обязательно где-нибудь присядут полюбоваться видом, помолчать в созерцательном спокойствии, а поскольку они оба для такой цели предпочитают места уединенные, желательно без людей и шума-суеты, то вряд ли устроятся на скамейке или за столиком в кафе, а земля пока еще совсем холодная. Так что плед в пакетике с собой, и по большому счету по фиг, что там думает администрация по данному вопросу и чем будет недовольна, если обнаружит временную пропажу имущества.

А потом она сфотографировала Марка, таким он показался ей поразительным на фоне старой стены готического замка, озера и молодой поросли на дереве, попавшей краешком своей кружевной кроны в кадр.

Солнце как-то так по-особому осветило и легло на его лицо, что подчеркнуло, высветило сдержанную мужественность и этот необыкновенный, отстраненный от реальности, погруженный в себя взгляд насыщенно-темно-серых глаз, передавая саму суть характера и натуры этого мужчины. Он не заметил, что она его фотографирует, как обычно мало что замечая вокруг, когда его захватывала мысль, идея, озарение, в которые он погружался.

Стрелка все бежала и бежала вверх от волевого, упрямого подбородка, через сжатые губы к чуть прищуренным глазам, аппарат гудел от вибрации, а мелодийка, останавливаясь на мгновения, с новой силой нетерпеливо набирала громкость, словно попрекала нерадивого абонента за то, что тот не берет трубку.

Клавдия прекрасно знала, что он будет звонить и звонить, пока не добьется ответа, — упорно, целенаправленно и спокойно. Когда сотовый оператор любезно сообщит, что абонент не отвечает, прервав бесполезный вызов, Марк тут же наберет ее номер заново, а потом еще раз и еще раз и будет набирать, пока она все-таки не ответит. Клавдия резко выдохнула, взяла со стола смартфон и решительно провела пальцем вверх, следом за указующей стрелкой.

— Да, — ответила-таки она.

— Привет, — пробурчал Марк в своей привычной полузадумчивой манере и сразу же перешел к делу: — Я взял тебе билет на вечерний рейс сегодня. Сейчас скину на твою почту.

— Я не могу прилететь, Марк, — изо всех сил стараясь четко произносить слова ровным, спокойным и нейтральным тоном, сообщила она о своем решении.

Он непродолжительно помолчал, и Клава слышала, как он дышит в трубку.

— Почему? — спросил он тем своим особым тоном любопытствующего ученого, столкнувшегося с неожиданным неизвестным явлением, которым обычно задавал вопросы, когда чего-то не понимал.

— Так сложились обстоятельства, — помня про спокойствие и нейтральность, сдержанно произнесла Клава.

Он снова помолчал и задал следующий вопрос:

— Что-то случилось? — И перечислил возможные, с его точки зрения, происшествия, которые могли бы оправдать ее отказ приехать: — Ты заболела? Какой-то несчастный случай произошел? Или что-то с родными?

— Нет, — уверила Клава и повторила твердым голосом: — Так сложились обстоятельства, что я не могу прилететь к тебе, Марк.

Он снова молчал и сопел в трубку, а у Клавдии перехватило дыхание.

— Да, — нейтральным голосом произнес он. — Я понял. До свидания.

И разговор прервался.

Клавдия наконец глубоко вдохнула, с силой втянув в себя воздух до предела так, что даже немного закружилась голова, задержала дыхание на несколько секунд и длинно, протяжно-долго выдохнула.

Вот так. Вот так. Она это произнесла. И назад пути нет.

И осторожно, словно он состоял из наитончайшего хрупкого стекла, она медленно положила смартфон на стол и долго смотрела на черный прямоугольник экрана.

Первый раз она отказалась к нему приехать.

Первый раз.

А там, далеко, через города, реденькие рощицы и матерые леса, реки и речушки, через горы и равнины, холмы, пригорки, через деревушки, поселки, дороги и лоскуты садов-огородов, на другом конце света Марк Светлов таким же долгим взглядом смотрел на черный экран своего смартфона и думал о том, что вот оно и случилось.

Он всегда знал, что когда-нибудь настанет такой момент, когда она уйдет из его жизни в свою, обособленную от него вселенную.

Вот развернется и уйдет.

Нет, разумеется, он останется в ее жизни — не умрет же он на самом-то деле от этого ее ухода, — но никогда не будет так, как прежде.

И сразу все изменится — они останутся вроде бы друзьями и иногда, наверняка, даже будут случайно встречаться на каких-нибудь мероприятиях и праздниках. И станут дежурно интересоваться у родных и близких делами и успехами друг друга, но так, между прочим, как обычно вспоминают в разговоре о каком-то родственнике воспитанные люди, расспрашивают, делая заинтересованное лицо, и вежливо, терпеливо выслушивают расширенный ответ любящей родни о его достижениях и жизни.

И она будет жить дальше без всякого его участия и устроит новую жизнь с каким-нибудь Васей, или Петей, или этим своим, как его там зовут, или того пуще, Эдуардом каким, и наверняка наладит ее как-нибудь приемлемо-счастливо, эту свою новую жизнь.

Да, Марк знал, что когда-нибудь так и произойдет, но он был не готов к тому, что это случится прямо сейчас, так скоро и вот так, в один момент... и что ему от этого станет невозможно дышать и совершенно непонятно, как жить в новом, изменившемся пространстве.

Впрочем, это не имело значения. Он вернется в Москву, выяснит, что там у нее случились за обстоятельства такие, систематизирует факты, разложит все в логическую цепочку и пойдет дальше жить и работать.

Без нее. Как-нибудь, как-нибудь...

— Клавдия! — крайне раздраженным тоном призвала ее к вниманию дама. — Вы совершенно меня не слушаете! Это недопустимо!

— Да-да, — поспешила повиниться Клава. — извините, Эльвира Станиславовна, я невольно задумалась.

— О чем, господи боже мой, вы могли там задуматься, когда я говорю? — откровенно негодуя, удивилась мадам.

В самый разгар воспоминаний, в которые она с удовольствием погрузилась, такая непозволительная ситуация — оказывается, ее бесценные откровения о прошлой жизни без зазрения совести игнорируются.

Клава разрешила себе полутяжкий вздох, который можно было трактовать как угодно — как покаянное извинение и как согласие с дамой — действительно, о чем там вообще можно думать, когда тут излагают нетленку?

Как же ее достала эта бабулька!

Нет, по-своему она, безусловно, грандиозная тетка и молодчина в каком-то смысле. Да во многих смыслах молодчина, если честно!

Так «построила» всю родню, что та исполняет каждую ее прихоть с немалым усердием и фантазией, лишь бы не гневить маман, а то....

Ух, что будет «а то»!

Как уже успела понять Клава, хватка у восьмидесятивосьмилетней бабульки железная — акулья, и про свою выгоду и счастливую обеспеченную жизнь она все замечательно понимала еще с младенческого нежного возраста, когда впервые освоила счет до десяти.

Впрочем, понимала Клавдия не только это.

Где-то три года назад, увлеченная некой творческой идеей, родившейся в результате общения с одним совершенно невероятным человеком, поразительной мощной личностью, Клавдия, не представляя последствий, долгим нытьем и увещеваниями уговорила его написать книгу своих воспоминаний.

Вернее, как написать — он наговаривает на диктофон или непосредственно ей свои воспоминания и передает имеющиеся у него документы, а Клавдия подтверждает их подлинность в архивах и соответствующих учреждениях и оформляет весь этот объем данных в книгу мемуаров.

Она настолько увлеклась и погрузилась в это дело и настолько подпала под обаяние и масштаб личности этого человека, что и не заметила, как они завершили работу и книга вышла в продажу. И сразу же стала наикрутейшим бестселлером и побила все рекорды продаж, на долгие месяцы заняв первые места в рейтинге самых читаемых и популярных книг.

Клавдия тогда, помнится, грустила ужасно, что закончилась такая увлекательная, грандиозная работа, и откровенно недоумевала, за что ее безмерно хвалит родное издательство.

А потом тот замечательный человек протежировал ей одного своего друга, не менее интересную и значимую личность, предложив написать и его мемуары. Клава поканючила, отнекиваясь — вообще-то это не ее профиль, она ответственный редактор, а это совсем иная работа, а за мемуары она взялась исключительно из любви и преклонения перед столь неординарным человеком, но после знакомства со вторым предполагаемым мемуаристом загорелась интересом к новой работе.

Нет, ну на самом деле, человек потрясающий, мирового масштаба личность, поразительной духовной мощи.

И она снова настолько увлеклась работой, творчеством, подпав под обаяние этой личности, что и в этот раз не заметила, как получился у них и вышел в свет очередной бестселлер, продававшийся, как горячие пирожки в мороз.

В общем, к работе ответственного редактора Клавдия не вернулась до сих пор, а занимается своеобразной литературной деятельностью, которая именуется в издательстве как-то даже несколько уничижительно — «литературный записчик», видимо, чтобы гордыня не чесалась, донимая.

Вообще-то Клавдии было глубоко пофиг, как там называется ее профессиональная деятельность, главное, что ей было необычайно интересно и увлекательно, и люди, с которыми приходилось сотрудничать, были личностями масштабными, оставившими в истории страны весомый след, и от общения с ними она обогащалась.

А если учесть, что специалистом Клава была дотошным и проводила долгие часы в архивах и спецхранах, к которым имела допуск, и встречаться приходилось по ходу работы со многими не менее интересными и известными личностями, чтобы проверить слова ее автора и подкрепить их аргументами и воспоминаниями очевидцев и участников описываемых событий, то и познания и опыт она приобретала уникальный, что и говорить.

Материала выше головы, и порой Клавдия раскапывала среди груды старых дел такие документы и факты, от которых приходила в настоящее потрясение, и для нее история страны и людей тех прошлых эпох открывалась с неожиданной стороны, становясь многослойной и увлекательной, как наикрутейший голливудский боевик.

Так, это она отвлеклась, напоминая себе в очередной раз, как она вообще сюда попала и почему «вляпалась» в эту работу с престарелой мемуаристкой, отягощенной манией величия.

Под литературной редакцией Клавдии вышло уже три книги мемуаров, и все они имели колоссальный успех и бесконечные дополнительные тиражи и продолжали бить рекорды популярности — ну, такие вот у этих мемуаров герои и их автобиографии, мирового уровня фигуры и люди потрясающие. Что имело для Клавдии неожиданные последствия в виде обрушившейся на нее странной известности и своеобразной востребованности.

А именно: вдруг высшее, так сказать, общество страны загорелось новой свежей идеей — непременно оставить о себе и своей распрекрасной жизни литературную нетленку на века. И непременно в обработке записчицы Клавдии Невской, одно участие которой, по слухам среди бомонда,

гарантирует бешеный успех ТВОЕГО художествен-
но-литературного произведения.

И по-нес-лось!

Руководство напирало — возьми этого мему-
ариста или этого, они такие бабки платят... и за-
катывало глаза, делясь неизгладимым впечатлением от названных сумм с красивыми идеальными
овальчиками нулей после числа. Да и сами канди-
даты в великие писатели современности осаждали
ее лично и засылали для бесед своих представителей, секретарей и адвокатов.

Клавдия выдвинула руководству издательства
жесткие условия своего сотрудничества с будущи-
ми авторами откровений о себе великом.

— Работать буду только с теми заказчиками,
которых выберу сама, которые мне будут интересны как личности и их истории жизни меня
по-настоящему захватят. — И тяжко вздохнула,
откровенно пожаловавшись: — А иначе ничего
не получится. Вот не получится, и всё, я уже пробовала.

С начальством ей повезло — радивое и умное
досталось, повезло, и хоть о коммерческой выгоде
оно помнило и заботилось неукоснительно твердо
и с большой нежностью, присущей каждому до-
стойному предпринимателю, но и о творческой
составляющей не забывало, тем паче что это было
основной составляющей этого самого бизнеса —
творческая-то.

И Клавдии дали полный карт-бланш — выбирай кого хочешь и делай с ним что хочешь, только работай, желательно с постоянным и устойчивым успехом.

Она и работала.

И вот тут к ней обратился один из мемуаристов, с которым они сделали и выпустили предыдущую книгу, и попросил встретиться с его другом и выслушать его предложение.

Другом оказался сынок известного писателя, сам, в общем-то, далеко не последняя личность в стране и тоже достаточно известный человек, который и принялся уговаривать Клавдию взяться за работу с его мамой.

И знаете, уговорил.

С одним жестким условием, выдвинутым Клавдией, — если она не сможет установить и наладить между ними необходимый контакт и доверительную атмосферу, если не пойдет совместная работа, то она откажется.

— Да-да! — тут же согласился писательский сын и признался, видимо, привычно жалея самого себя: — Мама, как бы это сказать, человек трудный, своеобразный, капризный и требовательный, с ней непросто наладить отношения. То есть мало кому удается их наладить вообще. Но она прожила очень интересную, насыщенную, наполненную событиями жизнь и всегда в окружении самых известных и выдающихся личностей страны и мира.

Ее любили и ей поклонялись великие мужчины. Ей есть о чем рассказать.

— Это она захотела написать историю своей жизни или это ваша идея? — уточнила расклад Клавдия.

— Да какая уж тут моя! — безнадежно махнул он рукой, поддержав признание тяжким вздохом: — Маме если что в голову взбредет, она всех уморит, но своего добьется. Вот наслушалась историй о вас, прочитала все мемуары, что вы редактировали, вызвала меня к себе и поставила перед фактом: хочу.

— Витольд Юрьевич, — осторожно, но твердо напомнила Клавдия, — основным условием моей работы является полный доверительный контакт с автором и наша совместная расположенность друг к другу. Иначе ничего не получится, и мне придется отказаться от этой работы.

— Да знаю я, знаю, меня предупредили, — тяжело вздохнул он и улыбнулся довольно: — Но, если у вас не получится наладить этот самый контакт, то отказывать ей будете вы, а не я.

Вообще-то бабка Клавдии нравилась. Вот ей-богу!

Она давала родне такую мотивацию, что один этот факт вызывал невольное уважение к ней.

Разумеется, бабулька держала их всех за причинные места жесткой хваткой своей сухонькой, но железной руки посредством накопленного ею за всю жизнь немалого добра, точнее, способом его обустройства и раздачи по ее личному усмотрению и той самой пресловутой «вожже, попавшей под мантию».

То есть — что хочу, то ворочу, если кто плохо вальсирует и менуэты исполняет по моему требованию, то никого не неволю и не задерживаю — вперед, по направлению четко указующей длани дедушки Ленина на постаменте — к светлому будущему, строить его своими руками.

А остальные пляшем, пляшем, продолжаем, чего остановились!

Да, молодец, честное слово!

И плясали же, а куда деваться — квартиры, машины, усадьба, сбережения, ювелирка ого-го какая, кое-что тоже немаленькое в европейской надежной стране.

Так что — менуэт с подвывертом.

А бабка оттягивалась по всей программе, обезопасив себя со всех сторон от возможного возмущения любимых родственников, от вероятных криминальных попыток ее устранить или поместить в клинику для душевнобольных с дальнейшим признанием в недееспособности.

Обследование у всех возможных врачей каждые полгода, а то и чаще, регулярное посещение лучших санаторных курортов с прохождением курса укрепляющих процедур, продуманный до мелочей по всем медицинским рекомендациям распорядок дня с зарядкой, прогулками и безупречный рацион питания.

Родственники у Эльвиры Станиславовны вроде бы ребята неплохие и любят ее, но деньги вещь такая... они и с более стойкими товарищами творили всякие непотребства, а вдруг кто из родни решит, что наследство бабушки лучше, чем сама бабушка.

Поэтому, разумеется, проверенные десятилетиями юристы.

Как-то так.

Но старушке было скучно «на троне» в своей усадьбе в Переделкино и хотелось какого-нибудь драйва, движухи, как нынче принято это называть. А тут нате вам — мемуары известных людей, да еще такие популярные...

Вот так Клава тут и оказалась.

Ужас, а не бабка!

Уважение уважением и ирония иронией, но все это хорошо, пока касается родни барыни, а не тебя лично. Понятное дело, что бабка решила, что Клавдия — это обслуживающий ее прихоти персонал и она имеет полное право обращаться с ней так, как ей заблагорассудится, и диктовать свои условия и правила общения. Она тут же попыталась подмять Клаву под каток своего напора, а когда сия процедура не прошла, сильно удивилась, но попыток задавить характером не оставила, периодически проверяя девушку на слабость.

Не будет дела, с тоской в который уже раз подумалось Клавдии, но отчего-то она до сих пор не рассталась со старушкой и продолжала вот уже третью неделю ездить в Переделкино и записывать за ней воспоминания о жизни.

Эльвира Станиславовна была классической, так называемой «писательской женой», с уклоном в провозглашенную большевиками свободу личности и свободу женщины, в частности, которая подразумевала теорию «стакана воды» в сексуальных отношениях между полами.

Так сказать, по стопам писателей двадцатых-тридцатых годов, когда в литературно-художественных кругах была провозглашена чуть ли не свободная любовь, и они еще те выкрутасы устраивали в отношениях друг с другом, путаясь в мужьях, женах и любовниках. Не все, понятное дело, но многие особо продвинутые в свободах.

Элечка же родилась в тридцать первом году в смешанной барско-пролетарской семье, как саркастически обзывала этот союз ее бабушка, мамина мама. Бабушка и мама, разумеется, были из так называемых «бывших», каким-то непонятным чудом уцелевших от репрессий. Бабушка обучала внучку трем языкам еще в младенчестве, этикету и правилам выживания женщины при любой власти и любых, даже самых невозможных обстоятельствах.

Папа, который представлял пролетарскую составляющую семьи, как бы скептически к нему ни относилась теща и как бы уничижительно о нем ни отзывалась, тем не менее прошагал по карьерной лестнице от простого работяги до директора завода. Правда, надо честно признать, не без помощи жены и тещи, обучавших его грамоте на дому и помогавших закончить заочное отделение института.

Элечка, заточенная бабушкой на красивую жизнь и вооруженная ею же приемами, как этой самой прекрасной жизни добиться и, главное, удержать в руках на должном уровне, в восемнадцать лет выпорхнула замуж за одного из самых известных в стране писателей, лауреата Сталинской премии, члена правления Союза писателей, старше ее на сорок лет.

В те времена такой марлезон с возрастными мужиками и девочками со школьной скамьи тоже имел место быть, правда в гора-а-аздо меньших масштабах, чем в современной действительности.

Впрочем, не об этом речь.

Но вскорости такая ужасная досада — буквально через пару лет совместной жизни муженек по каким-то неведомым ей причинам впал в немилость у власти.

Элечка неким врожденным чутьем на угрозу ее благополучию и возможную потерю обеспеченной славной жизни буквально за пару месяцев почувствовала грядущие неприятности и официально уведомила мужа, что жить с ним более не может, потому как полюбила другого мужчину и уходит к нему.

И свинтила с вещами к одному из своих любовников, по совместительству являвшемуся близким

22

другом ее мужа и, что не удивительно, тоже известного в стране писателя.

При этом, что характерно, предыдущий старый муж, побыв несколько лет в опале и отсидевшись в какой-то непроходимой глуши, подальше от переменчивой любви сильных мира сего, чтобы позабыли, пока он на глаза не попадался, настрочил там несколько новых произведений, вдохновленный природой и собственными переживаниями. И внезапно был призван новой властью, сменившей прежнюю, в столицу и вернулся практически триумфально — обласкан, вознесен. Ему вернули все прежние регалии, подтвердили заслуги, напечатали новые книги, написанные в изгнании, и его дружба с теперешним мужем Элечки продолжилась как ни в чем не бывало.

Эльвирочка, после водворения мэтра на прежний пьедестал и столь удачного завершения добровольной ссылки, была также переведена мужчинами в статус близкого друга бывшего мужа и его родной девочки. Иногда снисходила и баловала мастодонта отечественной литературы по старой памяти доступом к своему шикарному телу и сексуальным шалостям, не смущалась получать от него ежемесячно довольно приличные суммы и принимать дорогие подарки.

Но когда старик заболел и слег с безнадежным и тяжелым диагнозом, Эльвира забрала его к ним с мужем домой и до самой его смерти окружала искренней заботой и вниманием, нанимала самых лучших медиков и самых профессиональных сиделок, специальных поваров, которые готовили для него особую диетическую еду, и делала все, чтобы облегчить страдания бывшего мужа и устроить максимально достойную в его положении жизнь.

За что и получила после смерти старика все его добро и авторские права на все его произведения. От так. А родня маститого писателя, в том числе и его сыновья, отхватили от батюшки комбинацию из трех пальцев, именуемую в простонародье фигой. Повздыхали над гробом на общественной панихиде и исчезли из поля зрения Эльвиры на долгие годы.

Со вторым своим мужем Эльвира прожила всю жизнь, решив не скакать больше по замужествам, родила ему двоих сыновей, что не мешало ей не отказывать себе в легких интрижках, выбирая любовников исключительно из числа литературных деятелей, и не только отечественных.

Достойно похоронила мужа в семьдесят девятом году, замуж больше не выходила, но имела долгую близкую связь с одним весьма высокопоставленным партийным деятелем, которую они особо-то и не скрывали и о которой знали все — и его семья, и партийно-цековское начальство в том числе, смотревшее на эти отношения сквозь пальцы. Во-первых, потому что у деятеля была больная жена, много лет прикованная к кровати, а во-вторых, Эльвира совершенно не претендовала на него в качестве мужа — он был нужен ей как любовник для поддержания себя в нужном тонусе и форме и, разумеется, защитник, проте- же ее детям и щедрый, настоящий друг. Доста- точно.

Они выходили вместе в свет, выезжали в Евро- пу, встречались с представителями мирового ли- тературного сообщества, посещали концерты зна- менитостей и знаковые театральные премьеры.

Считалось, что он курирует в ЦК культуру, а Эльвира в то время была чем-то вроде ведущего критика-специалиста по современной отечествен- ной литературе и где-то даже официально числи- лась трудоустроенной в каком-то там Литератур- ном институте.

Она всегда была в курсе всех жизненных пе- рипетий, скандалов и историй, происходивших в культурном бомонде страны: художников, писате- лей, поэтов, певцов, режиссеров и актеров, умела слушать и выслушивать пьяные исповеди, умела вовремя помочь и подставить плечо, если решала, что это надо и уместно. Умела молчать как могила, когда это требовалось, и практически никогда не выдавала чужих секретов и блюла, как ярый ка- толический священник, тайну чужой исповеди, и знала многие факты, всю подноготную истеблиш- мента и лично каждый скелет в каждом шкафу де- ятелей культуры страны.

Она была жесткой, расчетливой, совершенно невыносимой, высокомерной, эгоцентричной и самовлюбленной бабкой, эдакой барыней-самодуркой, но самое главное — ей все это нравилось. Вот она, такая-разэтакая, вредная и трудная, держит в кулаке родню, строит их бесконечно, с удовольствием поигрывает в злую маман, лишающую наследства заждавшихся ее ухода наследничков.

— Ладно, рассказывайте, — приказала Эльвира Станиславовна Клавдии, снизойдя до проявления интереса. — Что у вас там такого случилось, что вы не можете нормально работать вот уже третий день кряду? — И усмехнулась снисходительно, выдвинув предположение: — Я так понимаю: мужчина?

Клавдия мимикой подтвердила высказанное предположение.

— Запомните, деточка, — назидательно сказала Эльвира Станиславовна. — Никогда не позволяйте мужчине быть больше, чем вы сами, больше вашей жизни, ваших интересов, больше ваших потребностей и устремлений.

— Совет из разряда тех, которые дают, не спрашивая, нужен ли он, — смело парировала Клавдия, выказав характер и завуалированно напомнив старушке о манерах.

— И который, как я понимаю, сильно запоздал, — усмехнулась саркастически Эльвира Станиславовна, оценив укол Клавдии и не без удовольствия, в пику наглой девчонке, дав еще одно наставление: — Ну, что ж, пострадайте, это даже иногда полезно женщине: сменить, так сказать, амплуа, побыть в трагедийной роли. Только не увлекайтесь этим излишне и не затягивайте с переживаниями. Во-первых, потому что это отнимает силы, если позволяешь себе погрузиться слишком серьезно и глубоко в переживания и сожаления, а во-вторых, по устройству вашей сущности, Клавдия, вы совершенно не приспособлены на роль жертвы, к тому же она вам абсолютно не к лицу, — заметила Эльвира Станиславовна, не забыв напоследок подпустить в голос металла, напоминая о том, кто тут вообще-то главный и музыку заказывает: — И, наконец, в-третьих: ваши неуместные переживания мешают нашей работе, что недопустимо.

Побуравила Клавдию красноречивым, недовольным взглядом и, махнув рукой от бессилия перед обстоятельствами и девичьей глупостью, милостиво отпустила, не забыв поворчать:

— Идите домой. Никакой работы с вашими сердечными переживаниями сегодня не сладится, вы меня только раздражаете понапрасну.

— Да, — вздохнув, согласилась Клава, — вряд ли сегодня получится продуктивно поработать.

— Вот именно, — попрекнула ее еще разок хозяйка.

Клава заторопилась собираться, пока бабулька не передумала, затолкала быстренько ноутбук в портфель, закинула туда же листы с записями, ручки-карандаши и блокноты, перекинула размашистым движением через голову свою дамскую сумочку наискось на плечо и попрощалась:

— До свидания, Эльвира Станиславовна, я завтра позвоню.

Не дождавшись ответа, Клавдия заторопилась к выходу.

— Клавдия! — вдруг позвала Эльвира Станиславовна каким-то особым, чуть напряженным, задумчивым тоном.

И Клава замерла в дверном проеме, удивленная интонацией, столь не свойственной этой даме. И медленно повернулась лицом к величественной пожилой женщине, сидевшей в викторианском кресле с большой спинкой.

— Почему вы до сих пор не сбежали от меня, а продолжаете приезжать и работать? — Эльвира Станиславовна смотрела ей прямо в глаза таким внимательным взглядом, что Клава непроизвольно расправила плечи, приподняла подбородок и чуть задержала дыхание.

— Я ведь тяжелая, вздорная старуха, — усмехнулась женщина, позволившая себе вдруг приоткрыть истинное величие своей неординарной, мощной личности. — Извожу окружающих, не даю продохнуть родным. Мне вон и вас шпынять доставляет немалое удовольствие, и вы это знаете. Так почему?

Врать было нельзя. Никак нельзя. Иначе все оказалось бы напрасно — все Клавдино терпение, все ее мытарства последних недель с этой и на самом деле вздорной, невозможной старухой, и тогда ничего бы уже не получилось, не сложилось у них.

Она и не соврала, даже не пыталась.

— Бог знает, сама себе задаю этот вопрос по нескольку раз в день, — попыталась пошутить Клава и все же ответила, как чувствовала, после долгих размышлений: — Наверное, потому что вы не бросили своего первого мужа, когда он слег умирать, и забрали к себе в дом из больницы, и помогли ему достойно уйти, окружив истинной заботой.

Помолчали, глядя друг другу в глаза, как два высококлассных бойца, сошедшихся для поединка, принявших стойку и отдававших друг другу дань глубокого уважения взглядами и поднятыми в приветственном жесте рапирами. Старшая усмехнулась.

— Это в вас от молодости говорит излишний бестолковый романтизм, — спрятала она за иронией свою истинную реакцию. — Это был чистой воды расчет. Вам же известно, что он оставил все свое нажитое добро мне, а его наследникам не досталось ничего.

Клавдия, показательно чуть склонив голову набок, состроила ироничное выражение лица и усмехнулась в ответ:

— К тому моменту, когда он слег, он уже обеспечил самым наилучшим образом сыновей и внуков, да и бывшую жену. А «благодарные родственники» всего лишь дважды навестили его в больнице. Так что, видится мне, что дуля им на основное наследство совершенно оправданна.

— Откуда вам известны такие подробности? — строгим, резким, нарочито недовольным тоном поинтересовалась старуха.

— Я очень хорошо умею собирать и перепроверять информацию и факты, а также работать со свидетелями и очевидцами, и это тоже прекрасно вам известно, — напомнила ей Клавдия не без доли злорадства.

— И что они говорят, эти ваши свидетели с очевидцами? — многозначительно хмыкнула Эльвира Станиславовна.

— То, что вам и хотелось, чтобы о вас говорили: что вы ужасная, вредная старуха, измывающаяся над родными и работающими на вас людьми, любящая себя до самозабвения и управляющая железной рукой своими капиталами и доходами, — перечислила Клавдия лишь часть негативных характеристик из тех, которые ей довелось выслушать в адрес ее мемуаристки.

— Хорошо! — искренне порадовалась мадам.

— Да ладно вам, — попеняла ей дружески Клава. — Это вы роль такую себе придумали и играете всю жизнь, маскируясь за ней настолько удачно, что никто до сих пор вас не раскусил.

— А вы, значит, такая умная и тонко разбирающаяся в людских натурах личность, что все про меня поняли? — заметила старуха, совершенно откровенно получая удовольствие от их пикировки, и засмеялась: — Запомните, Клава, люди в массе своей настолько поглощены самими собой и своими драгоценными особами, что всегда предпочитают понимать вас так, как им удобно и проще всего.

— Совершенно верно, — согласилась Клава, — и вы этим людским свойством с удовольствием и пользовались, чтобы представлять себя в нужном вам свете. Актерствовали всю жизнь. Да и сейчас оттягиваетесь по полной программе, манипулируя общественным мнением. Это же безумно притягательно для любого рода биографов и любящих всякое «жареное» журналюг: не вот тебе верная жена, впахивающая с утра до вечера на гения, растворившаяся в нем, посвятившая всю свою жизнь ему и детям, а скандальная, раскованная, знающая себе цену женщина-рок, женщина-судьба, красавица, сводившая с ума самых гениальных мужчин и имевшая любовные связи с легендами российской культуры. Это же красота какая! Песня!

— Да, — капризно подтвердила все сказанное Эльвира Станиславовна, наигранно гордясь собой. — Я такая.

— Ага, — хмыкнула Клавдия, — только я знаю про одного невероятно талантливого, просто гениального мальчика из города Салехарда, которому вы купили и подарили квартиру в Москве, оставаясь анонимным благотворителем. И теперь он с родителями переехал в столицу и учится в спецшколе с физико-математическим уклоном и зачислен на подготовительные курсы при МГУ. А еще про одну замечательную девчушку вообще из седой глубинки, уникальную по своим физическим данным и тоже невероятно талантливую, для которой вы устроили переезд в Питер, и теперь она учится у Цискаридзе в Вагановском училище, а вы полностью содержите девочку и ее маму, оплачивая им съемную квартиру.

— Вы наглая девчонка, — отчитала ее старуха. — Это всего лишь удачное вложение капитала, и не более. Дети вырастут, станут мировой элитой, известными и востребованными людьми и будут меня всячески восхвалять и возвеличивать. А я очень люблю, когда меня восхваляют и возвеличивают, знаете ли.

— Знаю, это точно, — старательно уверила Клавдия.

— Повторюсь, — все посмеивалась бабулька, — в вас слишком много неуместной романтичности, Клавдия, что говорит об ограниченности вашего ума. Вся эта благотворительность не более чем расчет и вложение денег. Иногда надо и помогать кому-то, чтобы не застаивался капитал. Да и чтобы Бога излишне не гневать.

— Да ладно вам, — попеняла ей в ответ, усмехнувшись, Клавдия. — «Неуместная романтичность» уже давно бы послала вас в светлые дали со всеми вашими ролями, капризами, закидонами, связями и воспоминаниями — продолжать испытывать на прочность нервы родственников. — И откровенно призналась: — Все, что про вас говорили, по большей части соответствует действительности: у вас скверный, вздорный характер, и людей вы изводите изощренно и виртуозно, получая от этого удовольствие, это точно. Но, бог знает почему, вы мне нравитесь, может, потому что вам все еще очень нравится эта жизнь и вы с удовольствием в нее играете? — И поспешила предупредить со всей строгостью: — Только не злоупотребляйте моим признанием и терпением, я могу и пересмотреть свое отношение к вам в любой момент.

— Не забывайтесь, милочка, это я могу в любой момент отказать вам от дома и выставить вон, если мне не понравится, как вы работаете, — возвращаясь к роли капризной барыни-самодурки, одернула Клавдию хозяйка, сверкнув веселым, совсем молодым взглядом, и величественно махнула ручкой, отпуская ее: — Идите уже, занимайтесь своими сердечными переживаниями.

Клавдия выскочила из комнаты, услышав вдогонку наставление, высказаннее громким голосом в капризных, повелительных интонациях, не терпящих возражений:

— И чтобы завтра позвонили, я назначу время следующей нашей встречи! Работать надо, юная леди, вам за это деньги платят, и немалые!

Не оборачиваясь, Клавдия на ходу подняла руку и прощально потрясла ладонью.

«Железная старуха! Невыносимая совершенно! Жуть что за бабка!» Выскочив за ворота усадьбы, на дорогу между домами, Клавдия невольно улыбнулась своим мыслям и не удержалась-таки от того, чтобы восхищенно не произнести вслух:

— Она меня с ума сведет, но это здорово, интересно, и держать она меня будет железной рукой в постоянном тонусе! Ох, и натерплюсь я с ней! Ох, и натерплюсь!

Она неторопливо шла в сторону железнодорожной станции по знаменитому, культовому поселку, с удовольствием вдыхала чистый, чуть холодноватый воздух, разглядывала дома за заборами, мимо которых проходила, читала памятные таблички с надписями о том, какая знаменитость и когда здесь жила, и немного грустила.

Осень.

Лето пролетело, как всегда, слишком быстро. Как было радостно и звонко от летней беззаботности бытия, когда не надо нахлобучивать на себя кучу одежды и мысленно готовиться к выходу из дома на мороз или в дождливую холодину, а можно просто сунуть ноги в любимые сланцы или босоножки, повертеться перед зеркалом в легком наряде — и гуляй-свисти — выпорхнуть из дома.

А там солнце-простор улыбается тебе приветливо — красота!

И так каждый день, и завтра будет так же...

И вдруг осень... Откуда взялась?

Конечно, всего лишь сентябрь, а не прокисший депрессионный ноябрь с его мокрыми голыми ветками, зыбкими лужами и беспощадным, бесконечным серым дождем со снегом и промозглым ветром.

А пока еще прозрачный ностальгический сентябрь, который только перевалил за половину, и все еще тепло, но уже совсем не так, как летом, без той щедрой, слепящей яркости. Первый месяц осени, мудро улыбающийся всему, что не сложилось, не успело, пробуждающий нежную прозрачную грусть — воспоминание по сбежавшему лету, с ароматом поздних яблок, прогретых солнцем, запахом прибитой коротким, но уже холодным дождем пыли, чуть повлажневших деревьев и прелой листвы.

И мягкое сожаление по прошлому, особенно остро чувствующееся именно здесь, в Переделкино, со всеми его ушедшими в бесконечность знаменитыми жильцами, оставившими после себя нечто невидимое, нематериальное, но остро ощущаемое...

Осень. Сентябрь.

Клавдия возвращалась в Москву в электричке. Тратить время на пробки Клавдии как-то совсем не хотелось, хотя она могла ездить в Переделкино и на такси (ей оплачивали дорогу) или рискнуть самой сесть за руль их старенького семейного «Фордика», но водителем она была так себе, на неустойчивую троечку, да и не любила это дело, всегда ужасно нервничала и напрягалась, когда приходилось все же ездить самой.

Поэтому общественный транспорт рулит. Тем более что ей было очень удобно добираться именно таким образом.

Сидя у окна в вагоне электрички, увозящей ее в Москву, глядя на бегущие назад подмосковные пейзажи вперемешку с урбанистическими строениями, Клава все улыбалась, вспоминая их неожиданно откровенный разговор с Эльвирой Станиславовной, подтолкнувший ее к окончательному принятию решения все же работать с этой непростой женщиной, но, без сомнения, мощной личностью, и испытывала какую-то почти детскую радость от их пикировки и предвкушения ее дальнейшего продолжения.

Ну, конечно, Эльвира Станиславовна была права, ну, а как могло быть иначе, с ее-то умом и проницательностью, вот уже второй день Клавдия ни о чем другом не могла толком думать, кроме как о том их коротком, но знаковом разговоре с Марком.

Ну, невозможно заставить себя сосредоточиться на чем-то ином, когда в голове постоянно повторяется и повторяется то, что он произнес, как он это произнес, и вспоминается, как он молчал и сопел в трубку, обдумывая ее отказ прилететь к нему.

Клавдия совершенно ясно, словно Марк находился перед ней, видела мысленным взором выражение его лица, когда он размышлял над тем, что услышал. Она настолько хорошо его знала, что могла предугадать его поведение, реакции и слова на то или иное происшествие, ситуацию.

Но вот что он подумает, решит и как будет действовать, когда она впервые отказалась к нему приехать, этого она никак не могла представить. Да потому что такого раньше никогда не бывало в их отношениях, и она впервые за все время их дружбы отказала ему в чем-то. И как раз не просто в чем-то, а в очень и очень даже важном для Марка — отказалась прилететь, когда была ему нужна.

И как он поведет себя и что сделает, ей даже в голову не приходило. Вот крутились различные варианты, от самого радикального — он больше никогда ей не позвонит и не появится в ее жизни — и до... незнамо чего, до самого странного и невозможного, о котором она и думать не хотела, обуздывая свою фантазию.

Впрочем, это уже ничего не меняет, как он там отреагирует и что предпримет, и Клавдии становилось холодно от испуга перед неотвратимостью наступления какой-то новой жизни.

Чтобы занять руки и загрузить голову, кроме бесконечных мыслей о Марке Светлове, Клавдия решила соорудить какой-нибудь замысловатый ужин. Что-нибудь фундаментальное, подбадривающее, любимое, что может порадовать, какое-нибудь вкуснейшее баловство. И долго ходила по огромному и гулкому, как ангар, магазину, толкая впереди тележку, пытаясь сообразить, чего хочет.

Что-то все-таки надумала, но какое-то несуразное, никак не получалось сосредоточиться, все переключалась на мысли о Марке, даже рассердилась на себя и отчитала шепотом у прилавка с морепродуктами.

Добравшись домой, переоделась, умылась и, включив погромче концерт Андреа Бочелли, так что он заполнил собой все пространство квартиры, погрузилась в прекрасную музыку, и ей удалось наконец полностью отделаться от навязчивых переживаний и бесконечных дум и отдаться неторопливому процессу готовки.

Удобно устроившись на диване, она вычитывала справки и копии архивных документов перед сном — что планировала сделать еще утром, когда раздался звонок в дверь, заставивший ее непроизвольно вздрогнуть всем телом от неожиданности.

Клава кинула взгляд на часы на стене, стилизованные под картину импрессионистов, — половина десятого вечера, прямо скажем, не совсем чтобы гостевое время на дворе в доме порядочных граждан, отдыхающих после трудового дня. Настойчивая трель звонка, не прерываемая гораздо дольше, чем в первый раз, радостно разлилась по притихшей квартире.

Клавдия слушала это тирииль-тирииль-тирииль и отчего-то не спешила подниматься и идти открывать — она совершенно точно знала, кого там принесло, а вот зачем...

Но открывать придется — если этот мужчина решил что-то сделать, он сделает во что бы то ни стало, пусть хоть остановится Земля, разыграется зомби-апокалипсис, объявят победу коммунизма или высадятся инопланетяне не с самыми мирными намерениями. Он провел комплексный анализ проблемы, сделал выводы и принял решение, что следует делать, и любые препятствия между пунктом В — «принял решение» и пунктом С — «следует делать» уже не имеют никакого значения, как не влияющие на систему факторы.

Как-то так, он может объяснить это гораздо красивей и логичней — заслушаешься. Правда, вряд ли что поймешь, но все равно красиво.

И, тяжко вдохнув и выдохнув, Клавдия решительно поднялась с дивана.

— Здравствуй, — пробурчал Марк, когда она распахнула дверь, и протянул ей большой фирменный пакет с веревочными ручками. — Это моя помощница купила тебе тут какие-то сувениры.

И, сунув ей в руки пакет, вошел в прихожую и закрыл за собой дверь.

Он всегда был правдив, порой до неприличия, и прямолинеен, как танк в лобовой атаке. И не имелось никакой возможности втолковать ему, что так не принято общаться, что надо как-то мягче или хотя бы уклончиво и осмотрительно, чтобы не обижать людей. Это называется тактом. На что он неизменно отвечал, что симпатичным словом «такт» люди маскируют принятую и обязательную лживость в общении и умалчивают факты, о которых всем известно. Он для себя не видит в этом необходимости.

— Почему ты не прилетела? — шагнув к ней поближе, напряженно всматриваясь в лицо, задал он вопрос, который его интересовал больше всего.

И Клавдия с удивлением поняла, что он очень волнуется, настолько волнуется, что так и продолжает держать в руке свою дорожную сумку с аэропортовской биркой на ручке, позабыв поставить ее на пол или на скамейку у двери.

— Ты приехал прямо из аэропорта? — спросила она.

— Да, — недовольно буркнул он, — какое это имеет значение. Скажи мне: что у тебя случилось? Почему ты не могла прилететь ко мне?

— Ты ужинать будешь? — поинтересовалась Клавдия.

— Буду, — кивнул он и надавил голосом, призывая к немедленному ответу: — Клавдия!

— Идем в кухню, что мы будем здесь стоять и разговаривать, — недовольно заметила Клавдия и напомнила: — Поставь уже куда-нибудь сумку и проходи.

И не дожидаясь его реакции, развернулась и ушла, оставив его в прихожей снимать куртку и переобуваться в домашнюю обувь.

Он пришел практически следом за ней, крайне недовольный и решительно настроенный немедленно получить ответ. Клавдия развернулась к нему, вздохнула и ответила:

— Я беременна. — И пояснила более обстоятельно, зная, как он любит конкретику и четкие формулировки: — Я жду рождения ребенка.

— Так, — растерянно произнес Марк. Помолчал, по своему обыкновению, осмысливая информацию, и, указав пальцем куда-то в область Клавдиного живота, уточнил: — У тебя там сидит ребенок?

— Да, — сдержав усмешку, сказала Клавдия. — Там довольно тесно, поэтому, скорее всего, он сидит. Или полулежит.

— Ты из-за этого не прилетела? Ты себя как-то не так чувствуешь? — в полной растерянности расспрашивал он.

— Да, из-за этого, — подтвердила Клавдия. — Не то чтобы я себя плохо чувствовала, но не так, как обычно. Меня иногда мутит, а иногда, но редко, немного кружится голова. Но дело не в этом. Ты же знаешь, я не очень хорошо переношу полеты, да и в транспорте меня гораздо больше мутит. А уж в самолете, все эти взлеты-посадки, перепады давления и искусственный воздух, я даже думать об этом не хочу в моем нынешнем положении. К тому же у меня работа.

— Раньше работа тебе не мешала прилетать ко мне, — напомнил он.

— Мешала, — призналась Клавдия. — И это всегда было сложно — все бросить в один момент, договориться на подмены и куда-то нестись по первому твоему требованию.

— Ты никогда не говорила об этом, — рассеянно заметил он, видимо, все еще в шоке от потрясшей его новости.

— Нет, — подтвердила Клавдия. — Не говорила.

— Так, — решительно заявил Марк тем тоном, которым обычно говорил, когда принимал какое-то решение. — Надо же что-то делать с этим! — И он снова указал пальцем на ее живот.

А Клавдия окаменела.

Ей всегда казалось, что если случится что-то ужасно непоправимое, какая-то страшная беда с ее родными, любимыми людьми, то у нее ужасно заболит сердце.

Но она и предположить не могла, что от слов того самого родного человека, произнесенных деловым тоном, можно окаменеть в долю секунды.

Она знала его мильён лет, наверняка знала еще до того, как они встретились в этой жизни. Она знала, как он ест, пьет, говорит и двигается, знала, что он любит, а что не переносит и отвергает категорически, как он отреагирует на ту или иную ситуацию и что скажет, порой еще до того, как он отреагирует и скажет. Она чувствовала его всего, всей кровью, сознанием и самой жизнью, все его реакции и побудительные мотивы.

И все эти его качества проистекали из одного главного стержня его натуры — силы духа, силы воли, порядочности, целостности и еще нескольких составляющих настоящего человека и сильную, неординарную личность.

И в тот момент, когда он деловым тоном произнес, что с «этим» надо что-то делать, Клавдии показалось, что рухнул весь ее мир, — оказалось, что она его совсем не знает и это какой-то совершенно другой человек. Другой! Не тот Марк Светлов, какой-то иной!

Оставалось только помереть от такого... от такой другой жизни, от чужого Марка Светлова, от себя, потерянной. Идиотка.

И, прилагая огромные усилия, разлепив окаменевшие губы, она спросила мертвым голосом:

— Что делать?

— Ну, откуда я знаю! — воинственно от полного расстройства чувств повысил он голос. — Что там делают в таких случаях?

Клавдия медленно прикрыла глаза — смотреть на него не могла, чувствуя, как ее накрывает опустошающая волна бесконечного, болезненного разочарования и какого-то мертвенного отчаяния.

— Я не знаю! — повторился он, окончательно разнервничавшись. — Специалистов надо спросить, что делать! Как-то правильно питаться, витамины какие-то пить! Гулять. Где-то я слышал, кажется, что женщинам с ребенком внутри надо ходить больше обычного.

Он замолчал, погрузившись в раздумья, и неожиданно показал, как именно, с его точки зрения, следует ходить больше обычного женщинам с ребенком внутри:

— Туда-сюда, туда-сюда, — и снова замолчал.

А Клавдия поняла, что раньше, оказывается, помирать было не время, а вот теперь оно точно настало! От облегчения, вызвавшего невероятную радость, слезы навернулись на глаза.

Клавдия хлюпнула носом, судорожно втянула в себя воздух и быстрым вороватым движением торопливо смахнула предательские слезы, чтобы он не заметил.

И, конечно, он заметил и сильно удивился.

— Клав, ты что плачешь? — недоуменно приподнял он брови.

— Это так, ерунда, — улыбнулась она сквозь слезы. — У меня теперь иногда случаются резкие перепады настроений. И слезливость повысилась.

— Так ты витамины-то пьешь, какие там надо? — забеспокоился Марк. — Ты у врачей консультировалась?

— У врачей я консультировалась, — четко отрапортовала она.

Он снова замолчал, посопел, подумав, посмотрел куда-то поверх ее головы и неожиданно спросил профессорским тоном:

— А где этот твой? Как его? Федя.

— Володя. Его зовут Володя, — терпеливо напомнила Клавдия.

— Какая разница, Володя, Федя! — раздраженно пробурчал он. — Должен быть рядом, раз ты тут такая ходишь.

— Зачем ему быть со мной рядом? Ходить со мной туда-сюда?

Она вдруг развеселилась и окончательно пришла в себя от той ужасной глупости, которую вообразила себе всего на мгновение, и от того испуга, который пережила.

— Может, и ходить, если понадобится, — наставительно проворчал профессор Светлов. — Вот где он?

— Очевидно, работает, — посмеялась Клавдия его стариковскому недовольству.

— Работает, — передразнил он ее и неожиданно спросил еще раз: — Так витамины принимаешь?

— Принимаю, — широко заулыбалась Клавдия.

— Вот что ты веселишься? — попенял ей профессор Светлов. — Что тут веселого? Что мне теперь со всем этим делать? Как все правильно устроить?

— Не устраивай никак, — беззаботно отозвалась Клава. — Само устроится как-нибудь. — И спросила: — Ужинать-то будешь? Я тут наготовила вкуснятины.

— Буду, — буркнул он.

Она сноровисто накрыла стол, поставила перед ним тарелки со своими кулинарными выкрутасами и села напротив. Больше они ее беременность не обсуждали. Марк рассказывал про конференцию, про интересные темы, затронутые там, про свой доклад. Она привычно слушала, вникая во все подробности, подкладывала ему добавки, заваривала свежий чай, кивала, задавала вопросы по существу и тихонько радовалась, что ничего страшного-то не случилось.

— Останешься или поедешь к себе? — поинтересовалась она, когда он допивал чай из своей любимой огромной кружки с видами Копенгагена, которую ему подарили коллеги, утверждая, что фигурка маленького человечка на узкой улочке поразительно похожа на Марка. Клавдия сколько ни рассматривала даже с помощью лупы — никакой схожести не обнаружила.

— Поеду, — подумав, без энтузиазма в голосе сообщил он свое решение. И пояснил: — Там у меня... — и запнулся.

— Понятно, — кивнула Клавдия, — очередная Маруся.

— Ее разве Маруся зовут? — засомневался он.

— Тебе лучше знать, как зовут женщину, с которой ты живешь и спишь, — усмехнулась Клава.

— Да, наверняка, — согласился он и тяжело поднялся со стула, опершись на стол руками. — Что-то я устал, — пожаловался он.

— Оставайся, — предложила Клава. — Выспишься, отдохнешь.

— Да нет, поеду, — поколебавшись пару минут, отказался он от заманчивого предложения. —

Я сообщил, что прилетаю. Маруся ждет... — и сплюнул от досады: — Тьфу ты, Клава, это все ты!

— Ты, главное, не обратись к ней так, а то обидится девушка, — предупредила добрая Клава.

— Не имеет значения, и чего уж обижаться, — отмахнулся он. — Нам с ней просто поговорить надо, она меня для этого и ждет.

Он споро собрался и уехал, как делал всегда, когда решение было уже им принято.

Быстро произнес «пока-пока», подхватил свою стильную дорожную сумку, коротко клюнул Клавдию в щечку и вышел за дверь. Никаких лишних прощальных слов и наставлений, как обычно.

А Клавдия, вздохнув, отправилась назад в кухню наводить порядок.

Марусями она стала называть всех его девиц из чистой вредности и по некоторым иным причинам, которые предпочитала держать неозвученными.

Конечно, она прекрасно и отчетливо помнила, как на самом деле зовут нынешнюю даму Марка.

Валерия, вот как.

Такое загадочное имя. Сразу представляется особенная девушка, с аристократической бледностью узкого лица, глазами с поволокой, тонкие запястья, длинные чуткие пальцы, дивной красоты ноги, летящие одежды и тайна, тайна, манящая, будоражащая все мужские инстинкты...

Ничего такого в девушке Марка не было и в помине: ни тайны, ни загадочности, ни тонких запястий с аристократичностью лица, кое-что от добротного дорогого «тюнинга», модные губы варениками, махровые накладные ресницы, подкаченная попа-ноги, все по современным стандартным требованиям к женской красоте и конкурентности, но Валерия — это все же... М-м-м-да, не Клава.

Девушку ту, что не Маруся, а отзывалась на имя Валерия, Марк выпроводил домой, хоть она давно уже рвалась серьезно поговорить, что-то выяснить, по всей видимости, то, что ей все еще было непонятно. Хотя чего там может быть непонятного — Марк не понимал. Они расстались несколько месяцев назад. Скорее Марк с ней расстался, объявив, что не может больше находиться в отношениях с ней. Так вот взял и прямым текстом заявил. Но попросил прощения за свою резкость.

Да все понятно, Клавдия миллион раз права, обвиняя его в черствости и прямолинейности, доходящей порой до жестокости, которые он проявляет в отношениях с женщинами, и частенько пилит его за это. Ну правильно пилит, что тут скажешь. Но не такой уж он пропащий. Каждый раз вступая в новые отношения, Марк честно, подробно и досконально объяснял женщинам, чего хочет и ждет от них, какими видит их отношения и, главное, чего он не может им дать. И никогда не обманывал.

— Я устал, мне надо подумать над одной проблемой. Извини, но сегодня поговорить не получится. Может, как-нибудь в другой раз. Хотя... — Марк задумчиво посмотрел на девушку Валерию, что-то решая про себя. — Лер, ты о чем хотела поговорить?

— О нас, — твердым голосом заявила та.

— Так я вроде все уже объяснил. Мы расстались и больше не живем вместе, не имеем никаких отношений и не занимаемся сексом, — напомнил Марк, опустившись на банкетку в прихожей и глянув на девушку, стоявшую перед ним. — Или ты о чем-то другом хотела поговорить?

— Нет, как раз об этом.

— Говори, — кивнул Марк и, поглубже вздохнув, потер жесткой ладонью лицо, пытаясь немного взбодриться.

— Ты так резко приехал и заявил тогда: мы расстаемся, извини. Ты даже не спросил, чего хочу я. — Она всхлипнула с намеком на подготовку к близкому плачу и смотрела на него сухими глазами. — А я люблю тебя, и ты это знаешь. Мы замечательно жили с тобой, и все у нас было хорошо. — Она присела перед ним на корточки и заглянула ему в лицо снизу вверх: — Давай попробуем, у нас получится хорошая семья, я знаю. Тебе же было очень хорошо со мной, ты сам это говорил, я забочусь о тебе, как необходимо, и думаю только о тебе. — И повторила: — У нас получится семья. Я все возьму на себя, все хозяйские вопросы, и буду оберегать тебя от быта и помогаь тебе в твоей работе. И детей мы родим.

— Ты беременна? — задал он вдруг резкий вопрос.

— Нет, — от неожиданности сбилась она, подумав пару секунд, и Марк четко понял, что ей хочется сказать «да», но она справилась, не соврала и с сожалением повторила: — Пока нет. Но я хочу от тебя ребенка и давно тебе об этом говорила. И мы сразу его сделаем, как только снова...

— Валер, — перебил он ее совершенно измученным голосом. — Ты прости, но я зверски устал и хочу спать. Я не могу больше обсуждать тему нашего дальнейшего совместного проживания. Я не смогу с тобой жить, я не люблю тебя, и ты это знаешь. Я сразу тебе сказал и предупредил, что не хочу и не жду серьезных отношений и не вступаю в них, а для тебя все стало слишком серьезно, я это понимал и чувствовал последнее время. — Он вновь потер лицо рукой. — Мы все это уже обсудили. Мне больше нечего тебе сказать и предложить нечего. Не надо тебе больше со мной встречаться и пытаться поговорить. Тебе будет больней, а я буду мучиться от того, что обидел тебя.

И, больше не затягивая разговор, он тут же вызвал для девушки такси, оплатив его со своей карты, и выпроводил барышню, мысленно напомнив себе наставления Клавдии, которые она неустанно ему повторяла, что надо с людьми обращаться все же как-то более мягко, а не столь прямолинейно.

Пришлось, сдерживая себя, подождать, пока подъедет машина, слушать, как девушка тихонько, но показательно плачет, проводить ее до такси.

Как говорит Клава, «чтобы не обиделась».

Марку постоянно приходилось вспоминать это ее «чтобы не обиделась» в общении с девушками. Что будет, если Валерия все же решит обидеться, ему на самом деле было мало интересно.

Обидится, и что? И все. Наверное, как-то так.

Но это не важно. Ерунда все это.

Ему надо срочно осмыслить, проанализировать и обдумать, что случилось с Клавой, эту ее неожиданную беременность и что теперь ему со всем этим делать.

Он постоял под душем, вышел из кабинки, вытерся насухо и голышом прошлепал в спальню, улегся на кровать и, закинув руку за голову, надолго задумался.

Как же так получилось, что она ждет ребенка? И что теперь будет? Как все устроится у них? Будет ли ее отпускать этот ее, как его там, Коля, встречаться с Марком, приезжать, как обычно к нему, когда она ему понадобится?

На самом деле он был в панике и откровенно недоумевал, как быть и что делать. Что делать-то? Что надо предпринять?

Когда они познакомились...

А когда они познакомились, сколько лет тогда ей было? Ему было двадцать восемь, это он помнил, значит, ей в тот момент было двадцать.

Точно, Клаве тогда было двадцать...

Знаете, есть у нас выдающийся, уникальный ученый Татьяна Владимировна Черниговская, профессор, доктор биологических наук, занимающаяся теорией сознания, нейронаукой и психолингвистикой, которой не раз задавали вопрос «как вырастить гения?», и она не устает повторять:

— Никак. Для этого надо, чтобы он родился гениальным, это сугубо генетическая вещь и ничего более. Как бы вы ни старались сделать из ребенка гения, даже при его врожденных невероятных способностях, намного превышающих среднестатистические параметры, это невозможно. Только генетический код, сложившийся в определенной комбинации из генов предков. Но.

Вот на этом моменте начинается самое интересное «но».

Чтобы человек смог в полной мере реализовать и раскрыть свою одаренность, ребенка необходимо воспитывать, и воспитывать, как бы это парадоксально и избито ни звучало, на базовой мировой культуре — классической литературе, поэзии, лучших мировых музыкальных произведениях, развивая навыки к систематизации знаний и умение размышлять. Много читать, отдать в хорошую школу, где есть качественные учителя-наставники, дать лучшее образование, приучать к терпению, целеустремленности и усидчивости, прививать желание всегда докапываться до истины, поддерживать, поощрять. И помогать, помогать.

Есть, разумеется, в истории человечества случаи самовоспитания таких уникальных людей, но это требует колоссальной самодисциплины и никогда не обходится без огромной доли удачи, дающей таким людям наставников, людей, которые их направляют.

А в подавляющем же случае множество людей рождается одаренными в разных областях, но практически все они не реализуют себя, не развивают свои способности, не занимаются ими и остаются среднестатистическими людьми, ничем не выделяющимися из общей массы. И это факт. Есть такое понятие: гений не отдыхает. Так вот, он не отдыхает с момента своего рождения, постоянно развиваясь и совершенствуясь, а если нет....

Вот и все.

Марку в этом плане повезло. Или не повезло, как посмотреть, потому как, понятное дело, любому здоровому мальчишке интересней гонять мяч с друзьями, лазить по заборам и деревьям, пробовать всякое запретное с пацанами, во всем участвовать и везде присутствовать, особенно в том, что не поощряется родителями, а не корпеть над книжками и занятиями.

Но ему досталась именно такая семья, которая выращивала на своей грядке талантливого, одаренного сверх меры ребенка, помогая ему реализовать свой гений.

И хотя родные Марка не заказывали ребенка-гения, да и не воспринимали его таковым, но то, что мальчик имеет врожденные способности к точным наукам, невозможно было не заметить. Никому и никогда в семье в голову не приходило называть Марка гением, и «танцы с бубнами» вокруг его неординарных способностей не устраивали и уж тем паче не заставляли малыша как дрессированную обезьянку демонстрировать свои поразительные способности друзьям и родне, в часы праздничных застолий не ставили его на табуреточку перед подвыпившими гостями с требованием: «Ну-ка, покажи, что умеешь, умножь-ка четырехзначные числа, порази людей!» А он это умел еще с трех лет — перемножать четырехзначные в уме.

Ничего подобного. Все как-то буднично происходило — родные спокойно, целенаправленно и постоянно занимались развитием ребенка.

Когда открылись способности малыша к точным наукам и необычайное увлечение цифрами и счетом, бабушка Анастасия Николаевна, проработавшая всю свою жизнь заведующей архивом в университете, обратилась к ректору по личному вопросу и детально проконсультировалась на тему, как лучше направлять малыша, чтобы помочь ему развивать свои способности, отдавать ли в садик, существуют ли методики занятий с такими одаренными детками — вообще-то это были восьмидесятые годы, и никаких таких особых условий для уникальных детей никто тогда не создавал — все на общих основаниях. Но, проговорив с ректором целых два часа, исписав тетрадь рекомендациями и получив список специалистов, которым было бы неплохо показать мальчика и с которыми было бы неплохо проконсультироваться, Анастасия Николаевна, вернувшись домой, собрала общее собрание и изложила свои мысли по данному поводу.

Это, видимо, от нее передалась внучку страсть к систематизированию всего на свете: любых предметов, любой поступающей информации, своих знаний. Логический порядок в мыслях и делах — это их с бабушкой пунктик, неизменно вызывавший добрую иронию у всех остальных домочадцев.

И тем не менее, хоть родные и поулыбались той решительной серьезности, с которой Анастасия Николаевна подошла к вопросу воспитания необыкновенного внучка, и иронизировали потом бесконечно по поводу того «научного» семейного совета, подшучивая над ней и припоминая «заседание», но рекомендации, данные ректором, и консультации у специалистов, несомненно, дали свои результаты и направили усилия семьи в правильное русло без необходимости метаться в поисках наилучшего решения для мальчика.

Впрочем, рекомендации эти были всего лишь неким подспорьем, с основной задачей воспитания ребенка семья и сама прекрасно справлялась. Ну, еще бы! Отец работал в космической отрасли, в составе инженерной группы, мама — социальный работник, бабушка — архивист, а дед Валентин Романович — инженер широкого профиля (как он сам подшучивал над этим определением: «и нашим, и вашим, и споем, и спляшем»).

— То есть, — улыбался он, объясняя внуку, — считай, Марксюшка, что знать должен был все: от устройства лампочки накаливания до космических аппаратов. Такая вот специализация у нас была.

У деда Валентина Романовича имелось несколько серьезных пристрастий. Ну во-первых, он обожал читать с детства и не мог обходиться без книги ни одного дня, хоть несколько страничек, но прочтет. Во-вторых, любил что-то мастерить руками. Сколько Марк себя помнил, дед никогда не сидел праздно, а всегда чем-то занимался, либо что-то мастерил, либо читал. Ну и в-третьих, имелась у деда великая любовь и преданность, к которой он еще пристрастил и жену. Валентин Романович обожал классическую оперу.

За свою жизнь он собрал не самую большую, но весьма качественную фонотеку грампластинок с записями разных опер и классической музыки в исполнении уникальных певцов, известных дирижеров и оркестров, занимавшую целых две большие полки старинного книжного шкафа, стоящего в их с бабушкой комнате.

По воскресеньям дед Валентин Романович слушал оперу, и это был целый ритуал. И маленький

Марк совершенно завороженно каждый раз наблюдал за этим действом.

Дед открывал крышку старенького, потертого, но исправно работавшего проигрывателя, включал его, неторопливыми, полными значимости движениями надевал белые тряпичные перчатки, открывал шкаф и, с особой осторожностью и почтением перебирая пластинки, интересовался у замершего рядом, с восторгом глядящего на него внучка:

— Ну, что, Марк Глебович, чем насладимся? Может, «Тоска» Пуччини?

И он доставал пластинку с оперой, рассматривал любовно обложку, которую видел, наверное, уже миллион раз, ставил на место и с той же почтительной осторожностью извлекал следующую пластинку.

— Или «Норму» Беллини? — Он вынимал диск пластинки и задумчиво рассматривал ее обложку. — С Марией Каллас? А?

— Нет, — вступал в эту их игру Марк и активно крутил головой из стороны в сторону, — не Каллас.

— Тогда кто, предложи? — улыбался дед, возвращая пластинку на место.

— Лучше эта, которая громко там поё-ё-ёт, — поднимал ручонки внучок, старательно изображая, насколько громко «эта» поет.

— Ага, — улыбался дед, — я так понимаю, ты про «Кармен» с Еленой Образцовой?

— А-а-а-а? — вопросительно выводил мело-
дию Марк.

— Да, — кивал дед.

— Она, — солидно соглашался внучок.

Пластинка доставалась из фонотеки, торжественно извлекалась из обложки, протиралась
специальной мягкой тряпочкой, с почтением уста-
навливалась на резиновую подложку, включался
аппарат, аккуратно переносилась и устанавли-
валась на пластинку игла звукоизвлекателя. Дед
усаживался в кресло у окна, а Марк — на специальный маленький детский стульчик возле него, и
начиналась опера.

Усидчивости мальчонки хватало ненадолго, и
очень скоро внучок свинчивал из комнаты, оставляя деда наслаждаться и эстетствовать в одиночку.
Но музыку не спрячешь ни за какими дверями, и
голоса великих исполнителей разливались по всей
квартире. Домочадцы занимались своими делами
под звуки шедевров мировой музыки. Не самое
плохое сопровождение, согласитесь, да и никто
особо не протестовал.

Занимались ребенком все — и родители, и
старшее поколение, но дед Валентин был для
Марка особым человеком — самым большим
его другом и наставником, и все свои многочисленные и бесконечные вопросы внучок задавал
ему, получая на них совершенно уникальные, а
порой неожиданные ответы, заставлявшие ребенка задуматься еще больше и увидеть инте-

ресующий его предмет под совершенно иным углом.

А еще они с ним беседовали, рассуждали — Валентин Романович задавал какой-нибудь хитрый вопрос с «подвывертом», как он это называл, а Марк, сдвигая брови от усердия, принимался искать ответ:

— А вот ответь-ка мне, Марксюшка, на такой подвыверт, как ты думаешь...

И вот начинался непростой разговор с размышлениями, предположениями, гипотезами и порой совершенно неожиданными выводами.

Вот один такой дедов «подвыверт», в принципе, и подтолкнул Марка к серьезному и окончательному решению — посвятить свою жизнь математике. А началось все как обычно — с заковыристого вопроса, который задал дед.

— Я вот тут прочитал одну интересную статейку, — начал издалека свой хитрый заходец Валентин Романович, — в ней говорится, что ученые, проанализировав все полученные данные по исследованию человека как физической единицы, застопорились на одной из составляющих, а именно: реальности его существования в определенный момент времени. Поясню. То есть: какой момент времени считать тем, в котором в действительности существует человек?

— В настоящий, — тут же ответил десятилетний Марк.

— Да, разумеется, — хитро улыбался дед, — а что считать настоящим моментом? Все мы знаем, что прошлого нет, ибо оно уже прошло и вернуться туда нет никакой возможности, и произвести какое бы то ни было влияние, как физическое, так и не физическое, на прошлое, изменить его невозможно. Как и нет будущего — оно еще не произошло, на него мы, конечно, можем повлиять, но только опосредованно. Например, ты решил разбить чашку или произвести какое-то иное действие. Вот ты взял молоток, занес руку над чашкой в настоящем моменте, а то, что ты разобьешь ее, будет происходить уже в будущем. То есть твое направленное в настоящем действие создает будущее. Потому что ты можешь и передумать и не разбить чашку, и тогда она останется целой, а можешь и разбить, и тогда получается, что из нынешнего момента может произойти уже две реальности, а то и три, если вдруг, скажем, чашка упадет или кто-то выхватит ее из-под твоего молотка. И это уже множественная вероятность вариантов. То есть будущего как реальной, вещественной и физической составляющей тоже не существует. Вот здесь и возникает вопрос: а что есть настоящее, что брать за единицу настоящего и своего реального существования в ней? Как ты думаешь?

И десятилетний Марк ка-а-а-ак задумался, так и продумал над этим вопросом два дня. А надумав, твердо решил, что станет математиком и обязательно вычислит природу времени и все его особые свойства.

В пятнадцать лет Марк закончил спецшколу с математическим уклоном, разумеется, по ходу учебы победив в куче олимпиад и соревнований по математике, занимался дополнительно факультативно на курсах при МГУ, а в девятом классе решил все задачи из сборника Петра Сергеевича Моденова, по которому вообще-то занимаются при поступлении и на первом курсе университета.

Годы учебы пролетели для него совершенно незаметно, потому что ему было очень, ну просто очень азартно, увлекательно учиться, к тому же он попал к совершенно выдающимся преподавателям и обрел самого важного, ставшего навсегда главным его наставником и учителем профессора, а в дальнейшем и академика Виктора Павловича Огородничьего, которого поразили способности юного студента и который внимательно наблюдал за Марком, за его достижениями и успехами, развитием, подсказывал и направлял устремления и усилия юного дарования.

Понятно, что Светлов поступил в дальнейшем в аспирантуру, в которой тоже блестяще учился, а закончив ее, столь же блистательно защитил кандидатскую диссертацию.

Что, у кого-то были сомнения по этому поводу?

Он занимался наукой, преподавал, поработал в составе большой научной группы, куда его порекомендовал Виктор Павлович, которая трудилась над одним интереснейшим, но засекреченным проектом по заказу Правительства.

А параллельно они с Виктором Павловичем несколько лет в виде хобби бились над одной интереснейшей задачей, за решением которой явно бы последовали новые открытия в мировой науке. Не теорема Ферма, понятное дело, ковыряться в поисках ее доказательств Марку было неинтересно, он вообще не очень любил задачи, в которые одним из базовых параметров входила невозможность разрешения как такового.

Он занимался этой темой на досуге, если, конечно, можно назвать досугом те короткие часы, остававшиеся у него от занятий и преподаваний, в которые он оказывался дома. Марк приходил в гости к Виктору Павловичу, когда у того выпадала возможность встретиться с учеником вне формальной обстановки, и они вдвоем увлеченно, забывая о времени и обо всем на свете, несколько часов корпели над интересным явлением, никак не дававшимся.

Верное решение Марку приснилось.

Если точнее, то не само решение, а принципиально иной ход рассуждений и вычислений. Он настолько был ошеломлен озарением, которое сначала ощутил, как открытие увидел, и только потом понял правильный ход решения, что, подскочив в пять утра, помчался к Огородничьему на Плющиху, позабыв обо всем на свете.

Благо семья профессора жила не с начальником транспортного отдела завода Ильича в городе Горчичный Лог, а все же с академиком РАН и к таким явлениям, как научное озарение, относилась спокойно, с должным пиететом, уважением и пониманием.

Виктор Павлович был поднят с кровати срочным образом, с помятым лицом и всклокоченными ото сна, стоявшими торчком, редкими волосюшками на академической лысине, в тапках, халате, накинутом поверх пижамы. Проводил Марка, которого буквально распирало от нетерпения, в свой кабинет, где они и засели на несколько часов. И лишь настойчивые звонки секретаря Огородничьего смогли оторвать этих двоих от чуда, которым они занимались, и вернуть в реальность — одного на научный совет, другого — на лекции студентам.

Итогом их совместного мозгового штурма, который они, разумеется, продолжили в тот же вечер и еще несколько дней подряд, явилось настоящее открытие, на основании которого Марк Глебович Светлов в двадцать семь лет защитил докторскую диссертацию.

Вообще-то именно в математике стать доктором наук очень сложно. Очень. Это редкость. Потому что для этого требуется сделать настоящее открытие.

А математика — это настолько точная и бескомпромиссная наука, что сделать в ней открытие, скачав что-то из интернета, слямзив что-то у коллег, напустив воды в рассуждения, двинув какую-нибудь завиральную идейку, уйдя в дебри малопонятных теорий, отлакировав их заумными терминами, совершенно невозможно.

Потому как математика — это основа всего — вообще всего: мира, природы как таковой, сути всех явлений — и заодно базовая часть любой науки. А переделать, скажем, таблицу умножения, потому что тебе вдруг захотелось стать доктором наук, личностью известной и значимой, любым путем, образом и маразмом, и объявить миру, что дураки вы все и дважды два всегда было восемь, оно, конечно, можно. И люди в белых халатах с удовольствием послушают твою теорию со всеми доказательствами, потому как на основе ее они, в свою очередь, защитят диссертации про навязчивый параноидальный математический бред у больного. Это в худшем случае, а в лучшем....

Невозможно, и всё.

Так что в математике — только открытие, будьте любезны.

А они вот сделали. И если бы кто знал, какое удовольствие получили два этих ученых мужа — старший и младший, пробираясь через формулы и серию последовательных решений к доказательству, — удовольствие, которое невозможно передать никакими словами, которое способны пережить только творцы в момент того самого сотворения, в момент наивысшего озарения, когда

64

перед ними открывается истина и они постигают ее в полном объеме. Это на порядок выше, мощнее и сильнее любых физических и телесных удовольствий и на те же порядки непостижимо на этих уровнях.

При чем тут диссертации, защиты и звания — это уж так, приятная и, разумеется, важная составляющая, но не главная.

Э-эх! Это было круто!

А через пару месяцев после защиты со Светловым случилось вот что...

Марк при любой возможности старался ходить пешком. Во-первых, он как-то прочитал интереснейшую статью одного австрийского ученого о движении человека как таковом и, в частности, о ходьбе и «прямостоянии», там много было всяких интересных примеров, но основной вывод сводился к тому, что ходьба — один из самых парадоксальных механизмов человеческого тела, способных усиливать его жизнестойкость и способность к размышлениям, ходьба заставляет постоянно работать мозг, обрабатывая кучу поступающей информации. Кстати, исследования показали, что люди, которые много ходят, очень редко, практически никогда не болеют Альцгеймером.

А тут внимание! — ходят по улице, по пересеченной и меняющейся местности, по земле, одним словом, а не по спортивной дорожке тренажера.

А во-вторых, Марку во время ходьбы замечательно думалось.

Так что пешком он ходил с удовольствием и при любой возможности. В том числе расстояние от метро до дома по привычному маршруту укладывалось у него минут в двадцать.

Машину Марк не водил, хотя сам процесс освоил быстро, но даже права не стал получать — зачем? Он посидел за рулем, поводил по полигону автомобиль и понял, что водить ему нельзя и это совершенно не его занятие. Постоянно размышляя над какой-нибудь задачей, он частенько настолько увлекается, погружаясь в мысленную работу, что перестает замечать все остальное. А вождение автомобиля — это не шутка, оно требует внимания и сосредоточенности.

К тому же когда Марк находился в процессе размышления над чем-то, ему постоянно требовалось что-то записать, и он мог банально бросить руль, вообще забыть о дороге и начать торопливо записывать формулу.

Четко осознав свое отношение к транспорту, Марк теперь старался быть только пассажиром.

Да и машине в те времена в их семье неоткуда было взяться. Заработки самые что ни на есть средние, как у всей российской интеллигенции — отец — инженер, кое-как устроившийся на работу по специальности после погромных девяностых, мама — соцработник, дед и бабуля — пенсионеры, а сам Марк в то время зарабатывал совсем скромно, хоть и работал непомерно много.

Какая там машина — они и на билет-то в оперу для деда с бабулей на какого-нибудь известного исполнителя, приезжавшего в Москву с гастролями, откладывали несколько месяцев всей семьей.

Так что Марк передвигался пешочком везде и всегда, да еще с неким научным обоснованием процесса.

Вот так и шел домой однажды вечером, часов в одиннадцать, возвращаясь после заседания кафедры, когда к нему привязалась группа пьяных молодых дебилов, почти подростков, которым захотелось покуражиться над одиноким пешеходом, и ничего более.

Просто так!

От тупости своей, от животного врожденного скотства, от жестокости и безнаказанности. И оттого, что скопом, стаей. Поодиночке вряд ли бы кто из них решился напасть на человека, а толпой — мы же крутые, сильные, зверье шакальное.

Мальчонкой Марк был не слабеньким, далеко не ботаном скрюченным и пугливым, на типичного ученого походил не очень-то — рост под метр девяносто, крепкий такой, два раза в неделю в университетском бассейне полуторачасовой заплыв, а по утрам дома — занятия на турнике. Да и характер куда денешь, упертый, бойцовский, пальцем-то не размажешь.

Он так вот просто и сразу не дался, отбивался, как мог и сколько мог, и даже парочке уродов от него крепко прилетело. Но их было пятеро. Пьяных, озверевших от своей безнаказанности и крови, и они были стаей...

Они не успели его изувечить и убить — проходивший мимо собачник поднял шум, на который подтянулось еще несколько неравнодушных человек, и пьяная свора уродов тут же разбежалась.

Марка забрала «Скорая помощь», вызванная теми самыми добровольными помощниками, и его отвезли в больницу. Серьезных ранений, требовавших бы оперативного вмешательства, у него не обнаружили — ушибы внутренних органов, но без кровоизлияния, трещины двух ребер, гематомы по всему телу, шатающиеся зубы. Однако он получил очень сильное сотрясение мозга.

Кстати, козлов тех нашли, ума-то не хватило даже на то, чтобы свою жертву отвести куда подальше от видеокамер, да и свидетели дали показания. И что характерно: на первых же допросах они обливали друг друга признательными помоями, рыдали, каялись и тряслись от страха, осознав, что реально попали.

Реально. И теперь все всерьез, без прилипшей к руке пивной банки в компании таких же недоумков, без быдлячего выпендрежа друг перед другом, без подружки такой же умственной категории — не-а, теперь все по-взрослому, ребята! Покушение на убийство в составе группы, отягченное алкоголем, — целую крепко, твоя тюрьма, лет эдак по пяток каждому. Жду.

Марка пролечили в очень хорошей клинике, он достаточно быстро встал на ноги и, понятное дело, ринулся назад в свою науку.

Но...

Через пару месяцев у него случился первый приступ головной боли. Тяжелейший, страшный, изматывающий до рвоты и потери сознания, до желания разбить голову совсем, только бы остановить, прекратить эту муку мученическую хоть на мгновение! И самое страшное — эти болевые приступы не снимались никакими медикаментозными препаратами.

Перепугались все. Оно и понятно — родные и учитель Виктор Павлович, относившийся к Марку как к сыну, это-то ясное дело, но и коллеги и его ученики искренне переживали за Светлова. Огородничий срочным порядком поднял все возможные связи, и Марка определили в лучшую клинику страны на обследование.

И началось.

Его обследовали ведущие специалисты страны, а потом, по совету и настоянию Виктора Павловича и при его непосредственном содействии, отправили в Израиль, где Марка также обследовали ведущие специалисты.

А Марк смущался от такого внимания врачей и родных и ужасно сетовал, что угодил в неприятную историю и не может самостоятельно справиться с болезнью, отчего и ворчал:

— Носитесь все со мной, словно я сделался каким-то инвалидом умственной деятельности, ей-богу!

И родные принимались его уговаривать, успокаивать и увещевать, словно он и на самом деле инвалид, и от этой их чрезмерной заботы и злости уже на себя самого и свои капризы, которые вынуждены терпеть его близкие люди, Марк злился пуще прежнего, чувствуя, что задыхается от бессилия и непонимания, что делать и как справляться с ситуацией.

Но он жестко держал себя в руках, чтобы не капризничать и не стать обузой с дерьмовым характером, донимающим всех окружающих своей инвалидностью, поэтому и старался четко следовать всем распоряжениям докторов.

Вердикт и наших, и израильских врачей был единодушен: ни гематом, ни аневризмы, ни каких-либо явных патологий мозга, вызывающих болевые приступы и требующих оперативного вмешательства, нет.

Все родные и близкие выдохнули — уф-ф-ф! — слава богу.

Но!

Но травма все же имела последствия, скорее психосоматического свойства — от чрезмерных перегрузок и непрекращающейся деятельности мозг начинает работать со сбоями, — далее следовала череда медицинских, совершенно непонятных терминов и резюме.

— Вам, молодой человек, надо срочно учиться давать своему мозгу отдых и разгрузку, — сказал профессор Абельман, худой, длинный, с крючковатым носом, веселыми глазами поразительного оттенка, похожими на спелые, крупные, с маслянистыми бочками, темно-фиолетовые, отдающие немного в насыщенную коричневу маслины, больше напоминающий кавказца, нежели праведного еврея. — Вот скажите мне, молодой человек, было ли такое время, когда вы не крутили в своей голове всякие формулы и циферьки, и как давно такое случалось с вами?

Марк, во всем любивший порядок, сильно призадумался, отматывая воспоминания назад, и честно ответил:

— Несколько раз во время секса. Ну и конечно, сна. — И радостно, с энтузиазмом поделился: — Но не всегда. Знаете, профессор, во сне иногда приходят такие интересные идеи и неожиданные решения.

— Знаю, — шумно втянув воздух через свой крючковатый нос, признался Абельман и, скорбно выдохнув, продолжил объяснения: — В вашем положении это катастрофически мало, Марк. Ваш мозг — это уникальный механизм, и, как каждый механизм, он требует отдыха, профилактики и тщательнейшего ухода за собой. А вы его нещадно эксплуатируете без всякой меры. К тому же, Марк, ученый обязан время от времени отвлекаться от своих занятий, полностью отодвигая предмет своего исследования, и переключать внимание. Обязательно! Для сохранения как физического, так и психического здоровья. Кроме того, вам же прекрасно известно, что если никак не находишь решения, то надо полностью отложить задачу, оставить ее в покое, и тогда, в один удивительный момент, ты увидишь совершенно неожиданное и верное решение.

— То есть приняться за другую задачу? — уточнил Марк.

— Ни в коем случае! — возмутился профессор, и его глаза-маслины сверкнули негодованием. — Я же вам объясняю: полный отдых! Полный! Никаких формул, никаких задач — ничего!

— И что тогда делать? — потерялся Марк, не знавший, как это можно без задач и формул.

— От-ды-хать! — по слогам отпечатал доктор. — В полном смысле слова. Читать книги, легонькую литературу, детективы какие, ро́маны, — с ироничным ударением на «о» произнес он. — Можно и классику, но исключительно веселую, Зощенко, например, Ильф и Петров, такого плана. Непременно проводить время на природе: много ходить, дышать, путешествовать. Слушать качественную музыку, много спать. Хорошо бы влюбиться, но еще лучше полюбить по-настоящему.

— Хорошо бы, — кивнул Марк, соглашаясь с данной конкретной рекомендацией, и спросил о самом важном: — И как долго это делать? В смысле не влюбляться, а отдыхать: с какой временной продолжительностью и какой периодичностью в году?

— Идеально было бы по месяцу и хотя бы пару раз в году. Но я понимаю, что вряд ли вы выдержите целый месяц не размышлять над своими формулами. Научитесь хотя бы на неделю или дней десять переключаться на что-то иное, найдите себе хобби, иное занятие. И хотя бы раз в три месяца заставляйте себя отключаться от работы.

Попутно выяснилось, что проводить летние месяцы на теплом море Марк не может: столь активное солнце ему противопоказано — ничего, страна ого-го вон какая и может предложить любой отдых в холодном климате, вплоть до экстремально холодного на Северном полюсе — да пожалуйста, у нас этого добра дополна, заотдыхайся!

Как истинный ученый, Марк подошел к проблеме восстановления здоровья и нормальной работы мозга системно: выработал план по рекомендациям врачей и даже составил некое расписание на год.

Понятное дело, что вся затея провалилась самым замечательным образом. Ну, а как? Вы когда-нибудь пробовали ЗАСТАВИТЬ себя отдыхать? Ну, вот так — насильственным образом? Нет, ну, можно, разумеется, бросить все, бухнуться на диван, мысленно, а можно и вербально, чего уж стесняться, послать всех, зажать в потной ручке пультик от телика и начать отдыхать. Или еще как — затолкать себя в машину, вывезти на природу — и отдыхать. Или на море рвануть — и отдыхать.

Можно. А вот как заставить заткнуться свой мозг? Пробовали?

Ты ему уси-пуси, рассипуси, помолчи, родной, и ни о чем не думай. И глазки прикрыл, вдохнул-выдохнул, расслабился — лежишь, хорошо тебе, а он, зараза такая, в этот момент крутит про Ленку — крашеную стерву, что наврала с три короба, или про соседского пуделя, опять насравшего в подъезде, или о том, что надо бы картошку купить, и про Игорька, любовь всей твоей жизни.

Ты ему — заткнись! А он тебе с усмешечкой издевательской — ага, сейчас! Ну, давай, попробуй, заткни меня, уговори!

И ни фига у вас не получится. Попробуйте мысленно помолчать хоть пару секунд. Рекомендую, узнаете много нового о себе.

А как можно заставить молчать мозг ученого, уговорить не думать и начать уже отдыхать по рекомендациям лучших врачей? Никак.

После очередного сильного приступа головной боли близкие переполошились совсем уж не на шутку и срочно стали придумывать, что делать и как спасать родного, любимого мальчика.

И в рамках этой самой операции по спасению было решено немедленно устроить Марку отдых на природе. С дальними выездами решили не морочиться, а подыскать что-нибудь достойное в Подмосковье.

Но дачи, хоть какой захудалой, семья не имела (была когда-то и неплохая, но в девяностые голодные годы продали, что уж теперь о ней вспоминать, это наболевшее — спасла семью в разруху, выжили, и слава богу).

И тут, как по заказу, выяснилось, что хорошая знакомая Анастасии Николаевны, с которой она когда-то давно работала вместе и поддерживала все эти годы отношения, думает сдать на лето свой участок с домом жильцам, но сильно сомневается. Дачу свою Марина Леонидовна любила беззаветно, холила ее всячески, но срочно потребовались деньги, а взять, как водится, неоткуда, вот и пришла мысль сдать на лето любимую отраду, да жалко-то как.

Уговорили ее Светловы быстро, к тому же не абы кому неизвестному дом доверить придется, а, считай, своим людям. Да и деньги нужны.

Дачу сняли на все три летних месяца, с расчетом на то, что Марк проведет тут отпуск и после будет приезжать на каждые выходные. Перевезли сначала старших Светловых и, в несколько заходов, всякий необходимый скарб, а в июле Марк взял первый за всю свою жизнь отпуск аж на целых двадцать дней и перебрался из города к бабушке с дедом в поселок Верхние Поляны по Юго-Западному направлению от Москвы.

Может, когда-то тут и буйствовали леса, посередь которых прятались те самые «верхние поляны» и, по логике, «нижние поляны» иже с ними.

Но сейчас вместо предполагаемого в теории леса с полянами на месте бывшей и безвозвратно канувшей в небытие деревеньки стоял поселок, основанный еще в тридцатых годах прошлого столетия.

Единственное, что как-то соответствовало названию места, так это то, что поселок расположился на возвышенности, у подножья которой протекала довольно широкая речка. И лес все-таки был, но подальше, начинавшийся за кромкой большого луга.

Поселок утопал в зелени деревьев, кружил голову ароматами липового цвета и диких трав, ягодных кустов, нагретых солнцем, и многочисленных цветов.

В первые же дни своего водворения на даче бабушка с дедом перезнакомились с ближайшими соседями. И почти сразу же Валентин Павлович нашел себе человека по душе и характеру: Роберта Кирилловича Невского, жившего по соседству через один дом по их стороне улицы, оказавшегося заядлым шахматистом, интереснейшим собеседником и чудесным человеком, и хоть тот был и младше его на одиннадцать лет, но они тут же сдружились.

А следом за мужчинами познакомились и сдружились и женщины. И хоть бабуля Анастасия Николаевна была старше на десять лет Веры Михайловны, но они, как и их мужья, сразу же прониклись уважением и душевной приязнью друг к другу.

Так бывает, знаете. Так бывает с нормальными людьми.

К моменту приезда Марка бабушка с дедом уже совершенно освоились на новом месте, обжились и чувствовали себя прекрасно, да и выглядели взбодрившимися, помолодевшими. Много гуляли по окрестностям, плавали в речке, даже загорали, приноровились на малые деньги покупать у соседей ягоды и фрукты, которым пришло время созревать, да и сами посадили всякой зелени к столу, лучок, редисочку. Распробовали, одним словом, дачную жизнь, с удовольствием ее смаковали и приехавшего внука попытались тут же к ней приобщить, завалив восторженными рассказами о такой замечательной, экологически чистой жизни.

Марк посмеивался над их энтузиазмом, но, как ни странно, первую же ночь проспал без сновидений аж восемь часов кряду, побив все рекорды, — обычно ему вполне хватало пяти часов на сон, а порой и четырех. Но выспался он здорово, чувствовал себя отдохнувшим и с удовольствием завтракал на веранде вкуснейшими блюдами — яичницей из свежайших яиц, поджаренной с помидорами на шкварках, сырниками из офигительного творога, залитыми не менее офигительной сметаной, и щедрой порцией только что перетертой с медом клубники. И все это запивалось невероятно пахучим чаем с травками.

И так это было классно по отдельности и в совокупности — тишина, неторопливость дачного утра, завтрак обалденный, воздух сладкий, что Марк понял: вот именно здесь он обязательно сможет расслабиться и даст настоящий отдых мозгу.

Вечером бабушка с дедом оповестили его, что пригласили гостей на ужин, отметить, так сказать, приезд любимого внука и представить его новым знакомым.

— Замечательные люди, — неторопливо сервируя стол, объясняла бабуля Марку, помогавшему ей. — Они тут в поселке живут постоянно с невесткой и внучкой, но сами москвичи и работают там, а внучка учится.

— И вы с дедом, разумеется, не расспрашивали о подробностях их жизненных обстоятельств, — усмехнулся ее деликатности Марк.

— Разумеется, — кивнула Анастасия Николаевна и попрекнула в мягкой форме: — Это нетактично, как ты прекрасно понимаешь, только редко бываешь тактичным.

— Да ладно тебе, булечка, — легко рассмеялся он.

— Они очень хорошие люди, — заметила Анастасия Николаевна.

Очень хорошие люди пришли втроем — чета Невских-старших и их невестка Лариса, интересная, даже не симпатичная, а, пожалуй, можно сказать, что и красивая такой спокойной, неброской славянской красотой молодая стройная женщина

78

непонятного возраста. На взгляд Марка, лет тридцати пяти, впрочем, он плохо определял возраст у людей, это как-то ему не давалось.

Но не суть.

Ужин удался на славу. И не только прекрасной, как всегда, кулинарией бабушки Насти, но и, что удивило Марка, общением с новыми знакомцами, которое было совершенно легким, веселым, с шутками и интересными рассказами, с уместными анекдотами и проходило так здорово, тепло и увлекательно, что казалось даже странным, что он познакомился с этими людьми только сегодня. И когда уже вечерело, когда со стола убрали тарелки, переменили сервировку к чаю и водрузили большой, дышащий жаром, попыхивающий самовар, новое увлечение деда с бабулей из дачной жизни, скрипнула калитка, на тропинке раздались легкие шаги, и, взбежав по ступенькам, на веранду впорхнула совсем молоденькая девушка.

— Привет всем! — весело улыбаясь, поздоровалась она. — Дома вас нет, я сразу поняла, что вы в гостях у соседей. — И, шагнув к Марку, протянула ему руку и представилась: — Я Клавдия. — И улыбнулась еще задорней: — А вы Марк, я знаю. Про вас все время говорят ваши бабушка с дедушкой.

Он, вспоминавший о такте, когда ему это было удобно или если человек вызывал у него особое уважение, галантно поднялся со стула, принял ее протянутую руку, легонько пожал ладошку и спросил без улыбки:

— Что говорят?

— Хвалят, — перестав улыбаться, с таким же серьезным видом ответила девушка Клавдия.

— Тогда ладно, — разрешил он, продолжая удерживать ее ладошку в своей руке.

— Клавочка, — поспешила вмешаться бабушка Настя, зная наперед, что от внука можно ожидать любой реплики, и стараясь предупредить эту самую реплику и его возможную реакцию. — Ты ведь из города, с электрички. Голодная наверняка. Мы оставили тебе ужин и пирога кусок. Садись, детка, за стол, сейчас быстро все подогреем.

— Так вы что, дочь Ларисы? — сообразил тут Марк.

— Да, — снова заулыбалась девушка.

— Так она же совсем молодая, — подивился младший Светлов, тут же взглянув на женщину, о которой говорил, и спросил: — Лариса, вам сколько лет-то?

— Я предупреждала, — извинилась за внука бабуля, — Марк совершенно не признает никаких условностей, в лучшем случае он может промолчать.

— Сейчас, по всей видимости, худший случай, — заметила девушка Клава и рассмеялась.

— Мне сорок три года, Марк, — улыбнувшись, ответила ему Лариса, мать, как выяснилось, девушки Клавдии.

— Совершенно не похоже ни на какие сорок три, — возразил он.

80

— Скорее всего, — веселилась ее дочь, — это не комплимент, мам, а констатация факта.

— Совершенно верно, — подтвердил Марк.

Бабуля принесла подогретый для Клавдии ужин, все расселись за столом в новом порядке, пили чай, а Марк, вроде как невзначай, поднялся из-за стола, постоял какое-то непродолжительное время, привалившись плечом к стене, якобы устав сидеть, и, улучив минутку, когда гости и хозяева, увлеченные рассказом Валентина Романовича, не обращали на него внимания, тихонько покинул веранду.

Еще до прихода девушки Клавдии он почувствовал наступление особого состояния, предшествующее, как правило, очередному приступу — такая, как бы сказать, предболезненная маета, что ли, — еще не боль, но уже тяжесть, словно голову давит одновременно снаружи и изнутри и ломит в висках.

Он так устал. Так бесконечно, смертельно устал от этой пыточной, ужасной боли, сводящей с ума, лишающей его личности, индивидуальности, ломающей силу воли и духа, унизительно размазывающей его тело.

Марк испробовал разные методики по контролю над болью, рекомендованные серьезными специалистами, но для того, чтобы начать контролировать боль, надо было иметь хоть небольшую передышку от нее и ясное сознание, но передышки не было, а все силы его были направлены на то, чтобы не дать свести себя с ума и превратить в воющее, извивающееся, беспомощное тело, выстоять, победить и выдержать очередной приступ.

Он не помнил, сколько прошло времени с того момента, когда он незаметно вышел во двор через заднюю дверь и ходил, ходил там по протоптанной тропинке вдоль забора, между кустами смородины и грядками до того момента, когда вдруг чуть не налетел на девушку Клаву, каким-то образом оказавшуюся у него на пути.

— У вас голова болит? — спросила она тихим, осторожным голосом.

— Болит, — признался Марк.

— Идемте, — решительно распорядилась она и протянула ему руку. — Я попробую вам помочь.

— Это вряд ли, лекарства не способны с этим справиться, — предупредил Марк, решив, что она хочет предложить ему что-то из народной медицины.

— Я знаю, мне сказала ваша бабушка. В общих чертах она объяснила суть вашего заболевания.

— Зачем? — поинтересовался Марк.

— Потому что я ее спросила, — растолковала девушка, так и продолжавшая протягивать руку к нему, и повторила приглашение: — Раз все равно ничем нельзя успокоить ваше состояние, вы ничего не теряете, если попробуете то, что я хочу вам предложить.

— Нет, не теряю, — согласился Марк, но предупредил: — Когда боль становится совсем... — он запнулся, не зная, какое дать определение, — тяжелой, это не очень красивая, скорее даже физиологически отталкивающая картина. Всякое бывает.

— Ничего. Я не стану вас конфузить. И если у нас не получится вам помочь, мы прекратим эксперимент до того, как все станет... совсем физиологичным, — пообещала она и третий раз настойчиво тряхнула рукой.

И Марк, изучая взглядом эту тонкую девичью ручку еще какое-то непродолжительное время, все же принял предложение и, осторожно, словно сомневаясь, взял ее ладошку.

— Пошли, — тут же распорядилась девушка.

Доверившись ей, он не стал тратить силы на контроль за происходящим и не обращал внимания, куда они идут, сосредоточившись исключительно на том, чтобы не поддаваться все нарастающей с каждой минутой боли, накатывающей то волнами, то одним сплошным потоком.

Она усадила его на пассажирское место в автомобиль, потом они не так чтобы быстро куда-то ехали, а вскоре покатились совсем медленно, преодолевая ухабы, — машина переваливалась с боку на бок, как баркас в шторм, и их обоих мотыляло из стороны в сторону и вперед-назад, как консервы в незаполненной банке, и эти тряски лишь распаляли боль в его многострадальной голове.

Но длилась эта пытка недолго, и вскоре автомобиль остановился. Девушка выскочила из машины, открыла багажник, возилась там с чем-то, шумно шуршала какими-то вещами и пакетами, при этом успокаивая его торопливой скороговоркой:

— Я сейчас только возьму тут кое-что, и пойдем. Тут совсем недалеко. Рядом.

Громко хлопнул, закрываясь, багажник, девушка ойкнула, извинилась, распахнула дверцу с пассажирской стороны, взяла его под локоть и потащила.

— Идемте, Марк, тут немного осталось пройти.

Он выбрался из автомобиля, посмотрел на нее изучающе, думая, во что он дал себя втянуть этой энергичной не в меру Клавдии, но все же повиновался ее настойчивому требованию и пошел, увлекаемый девушкой, которая так и продолжала держать его за локоть.

Далеко это или нет, Марк не понял, поскольку старался ни о чем не думать, не подвергать анализу слова и обстоятельства, а делал лишь как она говорит, раз уж доверился ей, и внимательно смотрел под ноги. Они прошли сколько-то вверх по пологой горке, потом по прямой тоже сколько-то, бог знает, потом перелезли через бревно, продрались сквозь колючий кустарник, сделали еще несколько шагов вперед, когда она заявила с явным облегчением:

— Всё, пришли! Постойте чуть-чуть, я сейчас...

Девушка чем-то пошуршала сбоку от него, снова прихватила его за локоть и потянула за собой.

— Сюда проходите и садитесь, — указала она на расстеленный у края обрыва поролоновый коврик.

Он сел, куда она ему указала, и вопросительно посмотрел на сосредоточенную на какой-то своей задумке девушку. Она села рядом с ним, повозилась, устраиваясь поудобней, и спросила заботливо:

— Вы как?

— Терпимо, — прислушавшись к себе, ответил Марк. — Пока в четком сознании.

— Марк, — совсем иным, каким-то внезапно проникновенным голосом обратилась Клавдия к нему и прихватила двумя своими тонкими ладошками его большую, крепкую ладонь. — Вы, пожалуйста, слушайте меня и постарайтесь делать то, что я вам скажу. Ладно?

— Ладно, — пообещал он.

— Закройте глаза, — велела она.

Он послушно прикрыл веки, чувствуя, как немного дрожат ее чуть прохладные ладошки, видимо, от нервного напряжения.

— А теперь постарайтесь по возможности расслабиться и хоть немного отвлечься от своей боли.

Марк честно попробовал исполнить то, о чем она просила, со всем тщанием, на какое сейчас был способен, но предательская боль все нарастала и нарастала, хотя он все же попробовал ее преодолеть.

— Дышите медленно, размеренно, спокойно. Вот так: вдо-о-ох, на десять счетов, непродолжительная задержка дыхания и долгий выдох. Вдо-о-ох и вы-ы-ыдох, — повторяла и повторяла она счет, под который он мерно дышал, словно читала колдовское заклинание, а он слушался и дышал под ритм, задаваемый ее голосом: — А сейчас вы повернете голову в сторону реки и, когда я скажу, откроете глаза и не будете ни о чем думать. Вообще ни о чем, — заговорила она вдруг совсем уж чарующим, тихим, низким, с еле уловимой хрипотцой, но четким голосом.

Он повернул голову в сторону реки, как она и просила, и пытался сделать все, как она велела, — дышать медленно, размеренно и спокойно, ни о чем не думать и попытаться отодвинуть боль.

— А теперь, — сказала она, еще чуть понизив голос и придвинувшись к нему поближе, — открывайте глаза и смотрите.

И он распахнул глаза... И обмер, застыв на какое-то мгновение, позабыв обо всем, даже о пыточной боли.

Перед ним, за рекой, за лугом садилось ставшее нереально большим от зыбкого марева багряное солнце, освещая все вокруг фантастическими красками.

— Ни о чем не думайте, — колдовским голосом шептала ему прямо в ухо девушка, словно обволакивая его чем-то невидимым, теплым, надежным и нежным. — Впустите в себя то, что видите, в самое сердце, и проживайте во всем объеме то, что видите и чувствуете. И дышите медленно, спокойно, вдыхайте то, что видите. — И произнесла, словно выдохнула, совсем уж зачарованно: — И всё-ё...

Марк неосознанно, подчиняясь какому-то внутреннему импульсу, вытащил свою ладонь из ее рук, перевернул и осторожно сжал ее ладошку в своей — так было правильней и так было необходимо ему в этот момент — и смотрел на этот фантастический закат.

Чудесным, непостижимым образом куда-то ушли все его мысли, уступив место ощущениям и чувствам, в которых незаметно растворилась на какое-то время боль. И он почувствовал, как входит в него вся та красота, которую он созерцал, со всеми нюансами и подробностями: с запахами, звуками, ощущениями, с нереальными красками и оттенками.

Они сидели вдвоем, привалившись друг к другу плечами, замерев, не двигаясь, он держал ее тонкую ладошку в руке, и смотрели на закат, проживая вместе все стадии уходящего дня, смотрели на сумерки и на опустившуюся следом ночь. И в их совместном молчаливом созерцании было столько созвучного чувствования глубины переживаемого момента, что эти ощущения были для них обоих красноречивей, информативней, ярче и значимей любых слов и действий.

Марк не осознал и не заметил того момента, когда каким-то образом это состояние восторженности перешло в сон. Он только закрыл глаза, а звездное небо все так же стояло перед его мысленным взором, и под этим небом его тихонько куда-то повело... повело....

Марк проснулся оттого, что замерз.

Он открыл глаза и увидел, что кто-то лежит рядом с ним.

Так.

Он осмотрелся по сторонам, пытаясь понять, где находится, сколько сейчас времени и почему он здесь оказался.

Марк лежал на земле. Рядом, прижавшись к нему спиной, положив голову на его правую руку, спала девушка, которую он обнимал левой рукой. Сверху их обоих прикрывали два пледа разных расцветок.

Не, ну нормально так.

А вокруг... Стоял тот особый час перед рассветом, когда вся природа словно замирает в ожидании нового дня.

Было очень тихо, только легкий плеск речной волны нарушал эту особую тишину. Небо уже понемногу светлело на востоке, но на западе еще было черным, ночным, кое-где поблескивали звезды.

Часа четыре, наверное, утра.

Все-таки холодновато спать тут. Марк осторожно пошевелился, устраиваясь поудобней и обдумывая, как бы встать и не потревожить девушку.

И вдруг замер, остолбенел, захваченный внезапно осенившей его мыслью — голова не болела! НЕ БОЛЕЛА ГОЛОВА! Как это, а?

Обычно приступ начинался вечером и длился несколько часов кряду, изводя, мучая до полусмерти, порой и всю ночь, и сам собой проходил, оставляя Марка неподвижно лежать после этих инквизиторских пыток, обессиленного, в поту, а порой и не только в нем. От слабости он проваливался в черный, без сновидений, сон и просыпался через несколько часов совершенно разбитым.

И еще день-два уходили на то, чтобы полностью восстановиться.

Он напряг мышцы тела, прислушиваясь к ощущениям, и понял, что чувствует себя прекрасно, только подмерз немного и вон руку отлежал и шею, и еще надо бы в кустики по малой нужде.

Это как? Это как так-то? Не было, что ли, приступа?

Видимо, он так увлекся самодиагностированием, что как-то потревожил девушку, и она проснулась. Попыталась потянуться со сна, а когда это не получилось сделать из-за лежащего рядом Марка, замерла на мгновенье, быстро сообразила, где она находится и в какой ситуации оказалась, осторожно, словно извиняясь, вытащила свою руку из его ладони, тут же села и развернулась к нему лицом.

— Здрасте, — кивнул Марк, приветствуя барышню, осознав некий комизм их положения.

— Здравствуйте, — поздоровалась она в ответ и тут же спросила: — Как вы себя чувствуете?

— Если не считать затекшей руки и шеи, немного замерзших ног, то отлично, — сообщил он, в последний момент вспомнив постоянные бабушкины наставления и поэтому промолчав про необходимость справить малую нужду.

Все-таки он не совсем уж безнадежен и частенько «забывает» про такт из вредности или чтобы поразвлечься.

— А как ваша голова?

— Не болит! — Он приподнялся и сел рядом с ней.

— Так должно быть? Это нормально? Приступ прошел? — заинтересованно выпытывала Клавдия.

— А не было приступа, — радостно улыбнулся Марк. — Он уже готов был начаться, а потом непонятным образом все прошло.

— А так уже бывало?

— Нет. — В предрассветных сумерках ее лицо казалось очень светлым, с размытыми, нечеткими контурами, а глаза странными, темными. Марк спросил тоном преподавателя: — И я очень хотел бы узнать, как вам это удалось? Вы применили какую-то методику? Гипноз?

90

— Да никакой методики и гипноза! — легко рассмеялась она. — Недавно прочла несколько книг по так называемому целебному дыханию пранаяма, испробовала на себе кое-что и пока нахожусь под сильным впечатлением. Вот и вам тут немного подсказала правильный ритм и задержку дыхания, и вам помогло. А так... — Она замолчала, посмотрела задумчиво на черноту западного горизонта, не сдающейся рассвету ночи, посидела в молчании недолго и снова повернулась к нему: — Это мое тайное место. Вернее, было нашим с папой. Теперь вот только мое.

— А папа ушел? — снова забыв о такте, прямолинейно спросил Марк.

— Да, — кивнула она, — совсем ушел. Из жизни. Умер пять лет назад.

Марк промолчал, не видя смысла в пустых словах соболезнования, которого не испытываешь, поскольку не был знаком с человеком.

— В этом лесу, — справившись с эмоциями, поспешно заговорила Клавдия, — недалеко отсюда, когда я была маленькая, был потрясающий малинник. В нем росла такая вкусная, сладкая-пресладкая и очень пахучая малина. Мы приезжали сюда собирать ее всей семьей. Сюда многие за ней приезжали. Однажды — мне было лет пять — я увидела птицу с поврежденным крылом. Такую гордую птицу, которая, испугавшись людей, постаралась убраться подальше, а я решила, что надо непременно ей помочь. Она убегала, подпрыгивая и помогая себе здоровым крылом, а я лезла за ней через кусты, а папа за мной, чтобы я не потерялась. Так мы и выбрались втроем из леса на этот уступ. Он же, видите, выдается вперед и нависает над рекой. Высоко, метров пятнадцать будет. Мыс такой получился. Мы его с папой назвали «Мыс Птичье крыло».

— А что стало с птицей? — спросил Марк.

— Папа ее как-то так хитро поймал, накинув свою куртку. Деваться же ей было некуда, разве кинуться камнем вниз. Кинуться мы ей не дали, а поймали, вылечили и отпустили. Она потом к нам долго прилетала, до самого конца лета, и мы ее подкармливали. Я ей червяков копала. Червяков тоже было жалко, они беспомощные, но дед сказал, что это естественный ход природы, в котором все кого-то едят.

— Философское замечание, — заметил Марк, даже позабыв про нужду.

— Ну, да, он такой, все может объяснить, — улыбнулась Клава, и Марк увидел в уже посеревшей немного темноте эту ее замечательную улыбку.

— Мой такой же, — усмехнулся он.

— Нам повезло, — кивнула Клава и продолжала: — Сюда мало кто приходит, никому дела нет до этого мыса, хотя тропинка по круче над берегом и проложена, но, во-первых, она его огибает по большой дуге, метров аж в сто пятьдесят, а во-вторых, малинник погиб, и теперь в этот заходят

92

только грибники осенью. Он далеко от поселка, сюда ехать надо. А зачем ехать и добираться? У нас и там места сказочные — и леса, и грибы, и малина — все есть, все рядом.

— А вы, значит, ходите?

— Теперь совсем редко. Раньше мы с папой приезжали вдвоем — посидеть, подумать, помолчать, погрузиться в себя и природу, как он это называл. Когда папы не стало, я сюда сбегала пару раз. И вроде как мне легче становилось, словно он меня тут успокаивал. Я точно знаю, это непростое место, тут что-то такое делается с человеком хорошее, доброе. — И улыбнулась смущенно. — Ну, по крайней мере, мне так хочется думать.

— А что это было? — спросил Марк, жестом изобразив нечто непонятное. — Ну то, что вы голосом вытворяли. Гипноз?

— Да нет, что вы! — испугалась Клавдия. — Это само как-то получилось. Мне почему-то казалось, что надо именно так говорить, такими интонациями, тихо. И получилось же, да? Помогло ведь?

— Несомненно, — подтвердил Марк, поднимаясь. — И вот мне очень интересно: каким образом оно получилось?

— Я не знаю, — поднявшись следом за ним, призналась Клавдия. — Честное слово. Как-то так само вышло.

— Само, — задумчиво протянул Марк и, выдохнув, переключился на текущий момент. — А пледы эти откуда? Вы их что, с собой притащили?

— Притащила, подумала, а вдруг засидимся до ночи. А мы взяли и засиделись. — И поправилась, легонько рассмеявшись: — Вернее, залежались. Вы как-то так прилегли на бочок и раз — заснули. А руку мою никак не хотели отпустить даже во сне. Я подергала, подергала — вы только сильней ее сжимали и мычали что-то невразумительное. Пришлось лечь рядом и как-то пристраиваться и прикрывать.

— Молодец! — похвалил ее Марк. — Прямо молодец, и всё. — И распорядился, главным вождем стаи во все времена: — Давайте-ка, Клавдия, выбираться с этого вашего «Птичьего крыла» и двигать в поселок. Там, наверное, наша родня с ума сходит, потеряв нас.

— Давайте, — согласилась она и возразила: — Не сходит. Когда вы заснули, я позвонила и сказала вашей бабушке, что вы спите. Они за вас ужасно переживают. Это самое плохое, что может быть, я знаю: осознавать, что родной человек смертельно мучается, а ты бессилен ему чем-то помочь.

— Ну да, — хмуро согласился Марк. — На эту вавку не подуешь и не поцелуешь, чтобы зажило.

— Не подуешь, — кивнула Клавдия. — Ваша бабушка так поразилась тому, что вы заснули, и, наверное, обрадовалась, и очень просила вас не будить и не тревожить.

— Похоже, это я вас тревожил, удерживая за руку. Ну да ладно, поспали, теперь и домой пора.

Оказалось, что они не так уж далеко отошли от машины, а вот ехали назад осторожно, сначала по полному бездорожью, потом выбрались на проселочную дорогу, а там уж было рукой подать до дач.

Клава подвезла Светлова к его участку и предложила побыть местным гидом — показать, как у них тут все устроено — всякие красивые места, сводить на речку, потому как она теперь свободна — вчера отработала последний день практики, и с сегодняшнего дня у нее начались каникулы. Он тут же согласился с хорошим предложением, и они договорились выспаться, а после созвониться.

Входя в дом, Марк старался двигаться тихо, чтобы не потревожить родных, но какое там! Никто и не спал, как выяснилось позже — только свет потушили, «что сидеть совами», как ворчал дед, легли по койкам, уговаривая себя не переживать.

— Марк, — кинулась к нему откуда-то из темноты мама, растревоженная до невозможности, растрепанная. — Как ты, сынок?

— Ты откуда, мам? Будний же день? — обнимая ее и прижимая к себе, удивился Марк.

— Да мы с отцом примчались, как только бабушка позвонила и сказала, что у тебя опять приступ начался. — Запрокинув голову, Анна Захаровна пыталась в темноте рассмотреть его лицо. — Прилетели, Анастасия Николаевна говорит: «Клава его увезла, уговорила нас отпустить, хочет что-то особенное испробовать, вдруг поможет». Куда увезла? Зачем? Мы в панике, ничего не понимаем, где вас искать, что с тобой происходит?

Резанув по глазам, заставляя Марка тут же зажмуриться на пару мгновений, включился свет, и на застекленную веранду, где поймала его мама, вышел отец в кое-как натянутом спортивном костюме.

— Марк, ты же ответственный человек, как можно было непонятно куда уезжать, когда у тебя начался приступ? Вот где нам было тебя искать, случись что?

— Да подожди ты, Глеб, — оборвала его воспитательную речь жена. — Ты посмотри на него.... — Она только сейчас разглядела состояние сына, поразилась и спросила с робкой надеждой, глядя на него во все глаза: — Марк, ты как приступ пережил? Ты сейчас....

— Не было приступа, мама. — Марк наклонился и поцеловал ее в лоб. — Он уже было начинался, но девушка Клавдия что-то такое сотворила, и боль прошла. А потом я уснул. А теперь вот проснулся и хочу в душ, есть и спать. Можно и в другой последовательности.

Мама заплакала, как-то сразу навзрыд, прижалась лицом к его груди и плакала, подошел отец, обнял их разом — жену и сына и, не удержавшись, тоже пустил слезу. И — а как же иначе! — подтянулись к собранию и немного замешкавшиеся старики, дед стойко держался, а бабуля не утерпела:

обняла внучка со спины, уткнулась в нее лицом и поливала его рубаху слезами.

— Ну вот, — усмехнулся Марк. — А мне казалось, что это хорошая новость.

Все следующие двадцать дней отпуска Марк провел с девушкой Клавдией Невской, не в том смысле, что романтика-секс и все такое прочее, вовсе нет — исключительно дружеское общение.

Если честно, он вообще как-то побаивался ее от себя отпускать далеко и надолго, все думая о новом приступе, который может произойти в любой момент. Даже пару раз съездил вместе с ней в Москву по ее каким-то студенческим делам, после которых они сходили в кино и посидели в уличном кафе, вернулись в свои Верхние Поляны поздним вечером.

Лучок, дернутый с грядки, — упругий, крепенький с зелеными стрелками, со слезой утренней росы, сверкающей на солнце, пучок укропчика, пахучего на весь участок, петрушки мелкой, не жесткой, молоденькой, а к ним редисочка твердая, огурчик в пупырышках, всякая разная салатная зеленушка. И все это порубить меленько, сдобрить, не жалея, пахучим, ароматным маслом из соседней деревни — и на стол, к молодой отварной картошке под укропчиком, исходящей душистым парком, с тающими кусочками масла — рай сущий, и всё тут!

И сидеть так на веранде, закусывать неторопливо в тягучих дачных разговорах, а потом, уж под самый вечер, запить чайком со смородиновым листом и мятой, с тертой в меду земляникой, только вчера собранной в лесу.

— Вот это жисть! — покрякивал от удовольствия дед Валентин Романович, дуя на горячий чай в стакане с подстаканником. — Благодать райская, а не жисть! Это вам не город каменный.

Да. Не город каменный. Эт точно.

Марк никак не ожидал, что прочувствует в полной мере все прелести эдакой дачной вольницы, такого, казалось бы, незамысловатого отпуска и будет наслаждаться каждым днем, смакуя его с особым удовольствием. Он легко и непринужденно дал себя использовать родным Клавдии в сельскохозяйственных делах, с неменьшим удовольствием и азартом играл с Робертом Кирилловичем, дедом Клавы, в шахматы, встретив в его лице очень серьезного противника, и с еще большим удовольствием ленился, словив бациллу расслабленной, неторопливой и вольготной дачной жизни.

А еще они много разговаривали с Клавдией. Говорил в основном он, а она совершенно замечательно его слушала, умело направляя течение беседы и задавая интересные вопросы.

Она подробно расспросила про его болезнь и про то, откуда она у него, и выспросила про все рекомендации, данные врачами. А Марк спокойно все рассказал, как не о себе, а о каком-то знакомом, что тоже было поразительно — первый раз,

98

вспоминая о своей хвори, он не испытывал никаких эмоций, не терзался ощущением собственного бессилия перед болезнью.

Странно все это.

— Не загружать мозг привычной работой, вычислениями и анализом, переключаясь на что-то другое, гулять, дышать свежим воздухом, немного физической нагрузки и читать что-то легкое, — рассказывал он, посмеиваясь. — Мама рекомендовала какого-то очень модного современного автора, я купил пару книжек, попробовал читать самую нашумевшую, прямо бестселлер всех времен и народов. Дикой силы вещь, я уснул на второй странице.

— Ну, это мы исправим, — пообещала Клава. — Тебе повезло: мама у меня лингвист, правда, преподает в гимназии, но она делает обзор современной литературы в интернете как один из востребованных критиков. Она тебе обязательно что-нибудь подберет. Ну а прогулки, чистый воздух и легкие физические нагрузки, например, купание на речке, катание на велосипеде и копание грядок, мы тебе обеспечим.

Она поразительная, эта девушка Клавдия.

Была в ней какая-то особая, врожденная грация, но при всей внешней хрупкости, тонкости чувствовалась в этой девушке внутренняя сила, наделявшая ее особой легкостью бытия, формирующая непоколебимую уверенность в том, что все будет хорошо и сложится так, как должно сложиться. Это вызывало у Марка удивление — двадцать лет девчонке, а она относится к жизни как много чего повидавший человек — спокойно, без истерик, рефлексии и нервозности, присущей молодым девушкам.

И эти ее глаза. Уму непостижимо, какие у нее глаза.

Особого, необычайного цвета — малахитовой какой-то зелени.

Практически с первого же дня общения Марк воспринимал ее как абсолютно родного человека, даже не так — Клавдия была для него каким-то единоутробным человеком, родной душой, словно всегда находилась в его сознании, в его жизни, в памяти, и ему не казалось это странным или чем-то особенным.

Конечно, этому не в малой степени способствовало то, что они были из одной среды, как говорится, «из одного лукошка», из очень похожих семей и руководствовались одними и теми же правилами, одинаковыми понятиями и скрепами жизни, отчего отпадала необходимость объяснять друг другу многие вещи.

Конечно. Но это его особое чувствование Клавдии было не только из-за схожей системы ценностей, но в большей степени из-за чего-то глубинного, тонкого и не поддающегося объяснению.

Только отчего-то первый раз в жизни Марк Светлов не пытался докопаться до истины, уложить все в четкие формулировки и разобраться во всех тонкостях своего отношения к девушке Клавдии.

Он просто проживал в состоянии полной расслабленности, в радости и гармонии этот свой отпуск и получал абсолютное удовольствие от всего, что происходило с ним в эти дни.

Но, как известно, все хорошее заканчивается до обидного быстро, долго длятся лишь неприятности. И двадцать дней его отпуска пролетели как один длинный, счастливый день.

За это время Марк с Клавой еще дважды ездили на этот ее мыс «Птичье крыло», и обнаружилось, что у них вдвоем получается совершенно поразительно молчать. Они садились на самом краю, он брал ее ладошку в руку, смотрели вперед — туда, за луг и охранявшие его леса, за поле до самого горизонта, слушали мерное течение реки, и их молчание постепенно начинало звучать внутри их, как орган, и они чувствовали друг друга и слышали оба, одновременно, эту тихую, едва уловимую музыку.

Поразительно. Просто взрыв сознания какой-то.

Но как наполнялись они новой жизненной силой от этого — не передать.

Марк вернулся в Москву к своей работе, но старался хоть на один день в выходные приезжать в Поляны, чтобы расслабиться на природе.

Страшных приступов с того момента, когда Клавдии непонятным образом удалось предотвратить один такой, больше не повторялось, даже когда он вернулся к активной работе, мгновенно позабыв все рекомендации и наставления врачей, полностью погрузившись в вычисления и отдавшись целиком своей любимой математике.

Клавдия, с семнадцати лет привыкшая подрабатывать в помощь семье, недолго предавалась отдыху после отъезда Марка и вскоре вышла на работу переводчиком, с которой уходила на время сессии и коротких каникул.

Однажды она задержалась на работе до позднего вечера, а тут позвонил Марк просто узнать, как у нее дела, будет ли она на выходных в поселке, и подивился, отчего она так тяжело дышит.

— Я бегу по переходу, опаздываю на последнюю электричку, — объяснила Клавдия, запыхавшись от бега.

— Остановись! — приказал он. — Не беги. Переночуешь у нас дома.

— Да? — послушно остановилась Клава. — А это удобно?

— Удобно, — уверил он таким тоном, что сразу расхотелось спорить.

Это был первый раз, когда Клавдия осталась ночевать у Марка. Он принял ее гостеприимно, радушно, они что-то приготовили на скорую руку и перекусили, поболтали и почти сразу отправились спать — Марк в свою комнату, Клавдия на диван в гостиной.

Именно в эту ночь Марк Светлов, проанализировав всю ситуацию, понял и принял для себя окончательное решение, какими будут их с Клавдией дальнейшие отношения. Раз и навсегда.

Марк недовольно перевернулся на кровати, не удовлетворился и этим положением и сел. Спать было невозможно.

Совсем. Ну, никак!

Он поднялся и отправился бродить по квартире. Попил воды, постоял у окна, точно зная, что все самое трудное и невозможное с особым усердием донимает и изводит с трех до четырех часов и самые тяжелые мысли приходят к человеку именно в это время.

Как и самые гениальные.

Он думал-размышлял о Клавдии, о том, что теперь из-за этой ее беременности вся их жизнь изменится безвозвратно. И как приспособиться к новой Клаве и к этой новой жизни, он не знал, терялся и пугался.

Она-то, жизнь их, изменилась еще раньше, но Марк был уверен, что он справился с обстоятельствами и с тем, что произошло, и смог снова загнать их отношения в привычное состояние, в котором они и находились неизменно все эти десять лет. Он ведь как-то справлялся и удерживал все под контролем, даже когда появился этот... Вообще-то он отлично помнил, что Володя.

Но вдруг объявился еще и ребенок, и теперь надо придумать, как приладиться к ее семейной жизни и позволит ли это сделать ее Володя.

Второй час подряд, лежа в кровати и ворочаясь с боку на бок, Клавдия уговаривала себя поспать. И напоминала о ребенке, которому требуется спокойная мамочка и ее нормальный, здоровый, продолжительный сон.

Но Марк...

Всегда и во всех ее обстоятельствах был Марк.

Они познакомились десять лет назад. Семья Светловых сняла тогда на лето дом с участком у Марины Леонидовны, соседки Невских через один участок. Старшее поколение Невских и Светловых как-то сразу сдружилось, да и, правду сказать, Светловы оказались прекрасными интересными людьми, что Клавдию только радовало — у деда с бабулей появились новые друзья, какие-то новые отношения, они теперь частенько «зависали» в гостях, а те, в свою очередь, с удовольствием принимали приглашения на ужин, плавно переходящий, как правило, в долгие, неспешные посиделки за чаем и разговорами.

Про внука Марка Светловы говорили достаточно часто, с любовью и особой гордостью, Клавдия особо не прислушивалась к разговорам стариков, так, отметила про себя, что есть такой внучок в этой семье.

Но когда она увидела его, то удивилась: вроде бы, если она все правильно запомнила, соседи говорили, что их «мальчик» — ученый, математик, доктор наук. Клавдия как-то совсем иначе представляла себе образ ученого-математика, а этот был крепкий такой, высокий, выше метра восьмидесяти уж точно, привлекательный, только часто поджимал губы, хмурил брови и чуть прищуривал глаза, когда задумывался о чем-то, словно погружаясь мысленно в себя, отрешаясь от всего и ото всех, что делало его облик угрюмым и несколько надменным и холодным.

Не сказать, что неприятным, нет, но Марк умел дистанцироваться, и становилось совершенно очевидно без лишних вопросов, что человек он закрытый и недоступный.

Вот такой вот «внучок» оказался.

Но все размышления Клавдии на его счет, когда она, сидя за столом, внимательно разглядывала его украдкой, анализируя то первое, не очень приятное впечатление, которое он произвел на нее, и мысленно укоряла его за надменную холодность, все это испарилось разом, в один миг, когда неожиданно переполошились и расстроились ужасно Валентин Романович и Анастасия Николаевна.

Марк незаметно встал из-за стола и ушел с веранды, а его бабушка тут же поняла, что у него начинается приступ головной боли. Клавдия пристала с вопросами, а женщина не выдержала, всплакнула и рассказала о беде внука.

Почему, откуда вдруг пришла Клавдии в голову идея отвезти его на свой мыс?

Если вдуматься — какой бред: тащить на ночь глядя бог знает куда в лес человека, у которого стремительно нарастает мигрень, вызывающая ужасные непроизвольные реакции тела!

Но словно кто-то сказал ей твердым, уверенным голосом, что это надо сделать прямо сейчас. Сделать обязательно. И подгонял, подгонял настойчиво.

И эта пранаяма?

Это вообще откуда?

Совершенно случайно институтская подруга показывала ей книгу, что-то увлеченно рассказывая про методику дыхательных гимнастик, и забыла ее на парте. А Клава сунула книгу со всеми своими тетрадями в сумку и только дома потом обнаружила. Открыла перед сном на первом попавшемся месте и начала читать. Удивительное дело, но ее увлекло, книжку она прочитала и что-то там на себе испробовала.

И на́ тебе — пригодилось, да еще как!

Она все говорила и говорила Марку: «Вдох-выдох», задавала ритм, глубину дыхания, и он повторял и повторял за ней, и через какое-то непродолжительное время цвет его кожи стал меняться и на совершенно белое от боли лицо начали возвращаться краски, губы порозовели и болезненная желтизна с висков отступила.

Как это все вот так сложилось? Парадокс. Чудо какое-то, ей-богу!

Когда Клава представила себе, что бы случилось, если бы ему ничего не помогло там, на мысе, а становилось только хуже и хуже, и как бы ей пришлось его оттуда выносить на себе и вывозить, ей стало не по себе.

Но. Но она подумала об этом только один раз — и отпустила навсегда эти мысли. Не случилось же. И все. Что думать и представлять какие-то ужастики, зачем? Пустое.

Все произошло так, как, по всей видимости, должно было произойти.

Клавдия вообще редко предавалась сожалениям об упущенных возможностях или стенаниям по поводу того, что могло сложиться и устроиться как-то иначе. Да ладно, уже все случилось, и на сегодняшний момент есть так, как есть, что голову-то морочить.

С той ночи все двадцать дней отпуска Марка они провели вместе, практически не расставаясь, — гуляли, катались на великах, загорали, много плавали в речке, Марк пару раз сыграл с поселковой командой в волейбол, а Клавдия шумно болела, разумеется, за его команду и подбадривала, как заправская фанатка, даже залихватски свистела, как научил ее дед. К всеобщему удовлетворению, победила дружба — матч закончился с ничейным счетом.

Дважды съездили в Москву. Побывали на ее мысу, где им открылась поразительная вещь — они молчали, чувствуя друг друга, и даже больше того — обменивались мысленно ощущениями, ну, как бы это объяснить? Клавдия сознавала, что они смотрят на мир одними глазами, и чувствуют в тот момент одинаково, и делятся своими ощущениями, передают и транслируют их друг другу на уровне мыслей-чувств, усиливая, насыщая каждый своим восприятием и эмоциями, а еще слышат какую-то необыкновенную тихую музыку.

Они оба были совершенно потрясены этим странным, необъяснимым явлением, парадоксом каким-то и, обмениваясь впечатлениями, когда возвращались назад в поселок, все переспрашивали друг друга: «Я тебя вот так чувствовала, как себя, а ты?» — «И я как себя». — «А музыку слышал?» — «Слышал. А ты чувствовала эту красоту в какой-то момент, аж как боль?» — «Чувствовала. А ты...»

Но странным, чудесным образом они оба практически сразу приняли то, что с ними произошло, как факт — вот оно есть, это явление, и что теперь? Разбираться, почему так происходит? Да ладно, зачем? Поэкспериментировали несколько раз — посидели на круче над речкой недалеко от поселка, посмотрели закат оттуда — не такой, конечно, масштаб панорамы, как на мысу, но тоже ничего. Помолчали — все то же самое. Еще разок съездили на мыс, там «помедитировали» на заходящее солнце — тот же эффект: обмен всеми ощущениями и звучащая в голове тихая музыка. И как-то сразу привыкли и уже не удивлялись.

Клавдия постоянно расспрашивала Марка обо всем, что ее захватывало и что было интересно, и заслушивалась его рассказами, так ей нравилась его манера излагать мысли, передавать свои эмоции, зачаровывал тембр его голоса и то, что он умел очень сложные научные вещи разъяснять простым, понятным языком через образы и сравнения.

— А как ты решил стать ученым? — с неподдельным интересом выспрашивала она.

Марк, усмехнувшись воспоминаниям, рассказал про дедовские вопросы с «подвывертом» и тот самый коварный, про время, который и определил его дальнейшее жизненное предназначение.

— Ну, ты обдумывал два дня и к какому выводу пришел? — У Клавдии прямо-таки горели глаза от любопытства.

— Я стал размышлять, — рассказывал Марк, хмыкая иронично над этой ее детской непосредственной заинтересованностью, — а на самом деле, в какую долю времени я есть «я» как реальный физический и биологический объект? В какой момент я действую, существую, думаю? Какова продолжительность этого момента? А «я» вообще есть? — И усмехнулся, посмотрел на Клавдию: — Знаешь, к какому выводу я тогда пришел?

— К какому? — задала она ожидаемый им вопрос, завороженно глядя на него.

— Если время таково, каким его принято считать и обозначать в системе счисления, — значит, меня *нет*.

— Как это? — поразилась Клавдия, широко раскрыв от удивления глаза.

— А вот так, — снова усмехнулся Марк, сам увлекшись своим объяснением. — Как я рассуждал: какой момент времени можно определенно считать настоящим? Секунду? Вот смотри: раз, — показал он выставленный палец. — Я сделал одно движение за секунду, и я точно был в это мгновение в настоящем времени. Но через секунду это уже прошлое. Но ведь я чувствую себя, осознаю и ощущаю, думаю-размышляю гораздо большее и продолжительное время, чем секунда, — значит, я есть. И я сделал вывод, что время совсем не то физическое явление, каким его принято определять и измерять, это совсем иное явление, хотя бы потому, что я *есть*. Я рассуждал так: если человек существует в настоящем, а оно исчисляется одной лишь секундой, тогда это какая-то глобальная несправедливость и какой-то вселенский обман. Не может быть так, что человек — самая сложная, самая продуманная до микрона, до кванта энергии, живая структура на Земле — был создан, чтобы существовать в реальности лишь эту секунду. Слишком несоразмерны сложность и структурированность объекта, его связи с дру-

110

гими объектами, влияние на них и краткость его существования, его реальности. И я сделал единственно возможный вывод: либо меня не существует, то есть я как личность, как физико-химически-биологический объект не существую и все, что я знаю о себе, есть не что иное, как иллюзия какого-то отдельного от тела разума, либо понятие и описание физических свойств времени и его законов ошибочно и имеет принципиально иную физическую форму, чем принята в современной науке. Второй вывод показался мне более вероятным в тот момент, с чем я и пришел к деду и объявил, что собираюсь вычислить настоящую структуру и свойства времени, для чего и намерен стать математиком.

— И как, вычислил? — с интересом спросила Клава.

— Ну, математиком-то я стал, но с законами и свойством времени пока так и не разобрался до конца, кроме, пожалуй, того, что уверился, что старик Эйнштейн, пожалуй, был не во всем прав.

— Как это? — ахнула Клавдия.

— Да вот так это, — рассмеялся ее искренней реакции Марк и, в свою очередь, поинтересовался: — Ну а ты как решила стать филологом? По стопам мамы или призвание имеешь?

— С призванием все было сложно, у родителей и старшего поколения возник спор «физиков и лириков» на тему, в каком направлении развивать ребенка. В том смысле, что бабушка и дед у меня технари, а мама и папа гуманитарии: мама — лингвист, а папа — славист, занимался славянской культурой.

— А что, ты проявляла способности в обеих сферах?

— Ну, как сказать... — широко улыбнулась Клавдия.

Старшим Невским казалось, что они углядели у внучки склонность к точным наукам, младшие напирали на полное их отсутствие и явный уклон интересов дочери к гуманитарной составляющей. Хорошо хоть не экспериментировали методом проб и ошибок и особо ребенку не досаждали.

Но, как ни смешно, спор разрешился сам собой.

Клавдии было восемь лет. Однажды в школе им дали задание сделать простейшую поделку, так называемое «наглядное пособие». Сначала деткам раздали сами пособия — кому-то небольшие листочки, на которых были написаны разные правила правописания, кому-то отдельные буквы, а Клавдии достались вырезанные из плотной разноцветной бумаги цифры. Вот для них-то и надо было вбить гвоздик (на который бы вешались эти самые «наглядные» цифры) в небольшую квадратную досочку. Взрослые к вопросу подошли со всей серьезностью: дед Роберт Кириллович вырезал досочку из тонкой фанеры и отшлифовал ее края, на середину комнаты поставили маленькую табуреточку, на которую и положили доску, выдали ребенку гвоздик и небольшой молоток.

Выпроводив всех из комнаты, чтобы не мешали, Клавдия умудрилась маленьким молоточком расколошматить к чертовой бабушке и досочку, и часть табуретки, и намертво вколотить маленький гвоздик плашмя в паркет.

— М-м-да, — философски заметила бабушка, когда вся семья сбежалась на звуки погрома и оглушительный грохот и выстроилась вокруг Клавдии, обозревая последствия трудового энтузиазма ребенка. — Девочка у нас все-таки не технарь. Факт. Будем двигаться в гуманитарном направлении.

— Доченька, — вкрадчиво спросил папа у ребенка, вполне себе довольного результатами проделанной работы, — а как же ты гвоздик-то в пол забила?

— А вот так! — радостно воскликнула доченька. И хренакнула со всей дури, доступной ее тогдашним силенкам, молоточком куда попало. Попало на многострадальную табуреточку, которая, предсмертно смачно хрустнув, развалилась к той же бабушке, что и досочка.

— Да, — согласился папа, осторожно забирая из руки энергичной доченьки орудие пролетариата, — лучше все же туда, — неопределенно указал он рукой, — в гуманитарном направлении. — И, уже не имея никаких сил сдерживаться, расхохотался.

Марк тоже хохотал до слез, когда Клавдия рассказывала ему в красках о выборе направления своего развития.

— Честно сказать, трудно понять, почему бабушка с дедом подозревали меня в склонности к точным наукам, я и в первых-то классах не блистала, а в старших так и вовсе буксовала с физикой и химией. Любила только геометрию и черчение, у меня очень здорово получалось чертить и с объемным видением, воображением всегда было все в порядке. К тому же бабушка, единственная в семье, кто знал французский язык, с самого моего младенчества разговаривала со мной на нем, и уже в три года я бегло говорила на обоих языках. Родня стенала, когда мы с бабулей переходили на французский, а они не понимали предмета нашей беседы, — посмеивалась Клава. — Какой там технарь!

Клавдия отчетливо запомнила тот момент, когда осознала, что любит Марка.

Он что-то увлеченно рассказывал, как всегда, захватывающе интересно, с юмором, заразительно. Клавдия засмотрелась, как живо меняется мимика его лица в ходе повествования, как иронично поблескивают эти его темно-серые, глубокие, невозможные глаза.

И вдруг с ней случилось удивительное озарение...

Озарение — какое верное, сильное, емкое слово, поразительно точно передающее обозначенное им явление.

114

Сознание Клавдии озарило изнутри, как будто оно расширилось, вдруг став большим и внутри, и снаружи и каким-то объемным, многомерным, наполненным воздухом и ярким светом понимания простой и ясной истины — она любит этого мужчину.

Она вдруг поняла, что это мужчина всей ее жизни, родной и самый близкий человек. И в свете этого чувства к ней пришло странное понимание, что не важно, будет ли эта ее любовь реализованной, будут ли они вместе или этого не произойдет никогда, самое важное и главное происходит сейчас — то, что в ней есть это невероятное, потрясающее чувство.

Она все смотрела на него, смотрела, привыкая к себе обновленной, заполненной любовью к этому человеку, и от мощной силы переживаний, от высоты того, что она чувствовала в этот момент, слезы наворачивались у нее на глаза.

Клавдия проходила с этим чувством, внутренне светясь, целый день, а потом свет потихонечку угас, а чувства улеглись-устроились в душе, и ощущение «не важно, будем ли мы вместе, главное, что вот она есть, любовь» сменилось привычным человеческим желанием соединиться и быть непременно вместе с объектом своей любви.

Далековато пока до безусловной духовной любви ко всему сущему. Как-то хочется все же рядышком с милым другом, душа в душу, в обнимочку и с поцелуями нежными, рука об руку и по жизни.

Отпуск Марка закончился, но они не перестали общаться, встречались по выходным в Полянах и все так же ходили, гуляли, много разговаривали, находили уединенные места с панорамным видом и молчали, очищаясь от суетности душой.

Однажды Клавдия осталась ночевать у Марка, припозднившись с работы. Еще на той их старой квартире, где жила вся семья Светловых.

Она тогда полночи не могла уснуть, изводясь ощущением его близкого присутствия в темноте и уединенности ночи, и все ей казалось, что она слышит, как он вздыхает и переворачивается у себя в комнате.

Каким-то совсем незаметным и естественным образом она стала довольно часто оставаться ночевать у него дома, работала же в Москве, и бывало, что задерживалась допоздна. И вот уже в квартире Светловых появились какие-то ее вещи, на всякий случай и ее зубная щетка, шампунь, всякие мелочи. И Клавдии казалось, что это очень символично и что-то да значит...

А потом она сделала самую большую глупость — призналась ему в своей любви. И этот ужасный для нее день она так же помнила подробно, со всеми деталями, звуками и даже запахами.

Был последний день лета, тридцать первое августа, выходной. Марк приехал в Верхние Поляны накануне поздно вечером, а ранним утром, еще до полного восхода солнца, сходив на речку вдвоем, наплававшись вдоволь, они вернулись, позавтракали у Светловых дома и решили ехать на «Птичье крыло», чтобы символически попрощаться с беззаботным летом, которое их познакомило и вот уходит безвозвратно.

День стоял бархатно-теплый и какой-то сладостно-наливной, терпкий, медовый, какие бывают в начале урожайной осени, когда уже не жарит, а ласкает и поглаживает солнце, и насыщенно-пряно пахнет поздними луговыми травами, созревшими грушами, и возвышенно горчит от тихой, тонкой грусти.

Сидя на краю мыса, взявшись за руки, они долго молчали, глядя вдаль. И в какой-то момент возвышенное состояние души настолько переполнило Клавдию, она такое испытывала, такое, что, не вынеся этого мощного чувства, с навернувшимися на глаза слезами посмотрела на мужчину и сказала очень просто:

— Марк, я тебя люблю. И очень хочу, чтобы мы были вместе.

Разволновавшись от ярких картин прошлого, разозлившись, что позволила им полностью завладеть ее сознанием, а надо спать, спать, а не предаваться стенаниям и духовным истязаниям, Клавдия сначала села в постели, а потом и вовсе встала и поплелась на кухню.

А куда еще? Куда отправляется человек посреди ночи глухой, когда его донимают непростые мысли и тягостные воспоминания? На кухню, разумеется.

Хоть чаю попить, что ли.

Да, протяжно вздохнул Марк, вспомнив тот их разговор, и выдохнул — она призналась ему в любви.

Он и сам понимал, что надо прояснить их отношения и застолбить раз и навсегда в определенных рамках, и видел, понимал, что девушка к нему неравнодушна, да и сам испытывал к ней далеко не братские чувства, вернее сказать, не только братские.

Но тогда, в последний день лета, именно Клавдия призналась ему в любви.

А он страшно перепугался. До какой-то холодной внутренней дрожи испугался этого ее признания.

Марк практически сразу, в тот же день, когда она отвезла его на свой мыс и сняла тот самый приступ, понял, что при всей его любви и привязанности к родным непостижимым каким-то образом получилось так, что эта девочка стала самым близким для него человеком, что она необходима, нужна ему, как воздух, как вода, как все то, что питает жизнь и делает ее жизнью, нужна навсегда и насовсем. Необходима.

И дело состояло вовсе не в том, что он боялся новых приступов и хотел держать Клавдию рядом как спасение от них, хотя наверняка и это было в какой-то степени, но гораздо больше он нуждался в ней потому, что она наполнила его жизнь ощущением целостности, красоты и гармонии. Это было сродни тому, как будто его подключили к какому-то невидимому измерению, которое давало ему отдохновение, какую-то внутреннюю свободу и духовное устремление.

Общение с Клавдией словно перезагружало его и очищало, насыщая новой силой и энергией.

Значит, что? Значит, надо подумать, как сделать так, чтобы Клавдия всегда была в его жизни и никогда из нее не исчезла.

Как истинный ученый, Марк Светлов подошел к решению поставленной задачи комплексно и системно, рассматривая все возможные варианты, определяя зависимости переменных параметров и все константы этого уравнения.

Марк вырос в семье, где царили любовь, понимание и настоящая дружба, и принимал такой уклад жизни как нечто естественное и само собой разумеющееся.

Как-то, когда Марку было лет восемь, мама с отцом заспорили, как иногда случалось, обсуждая что-то. Он не помнил предмет их спора, да это и не важно, но хорошо запомнил, что сразу же после довольно горячего диспута, помолчав немного, они принялись обниматься, смеяться и мириться, и это тоже было делом привычным, но в тот раз Марк задумался над происходящим и спросил у бабушки:

— А чего они, когда ругаются, потом обнимаются?

Мудрая Анастасия Николаевна, поулыбавшись, пояснила ему:

— Как бы люди ни любили друг друга, но они разные, и у каждого есть свое мнение и свое видение жизни и каких-то вопросов. И это личное мнение может не совпадать с мнением другого человека, тогда люди вступают в диспут, и каждый пытается доказать, что его мнение более верное. И порой случаются между людьми жаркие споры.

— Они ругаются? — продолжал расспрашивать Марк.

— Бывает, что люди и ругаются, и даже дерутся, — подтвердила бабушка, — но не в нашей семье. Ты когда-нибудь слышал, чтобы мы ругались? Громко спорили во время диспутов, бывало, но никогда не ругались.

Марк подумал и кивнул:

— А почему вы не ругаетесь, а только спорите?

— Потому что, Марк, мы все любим и уважаем друг друга, а это образовалось не на пустом месте. Семья, Маркушенька, это в первую очередь любовь, но это и ежедневная работа, уступки друг другу, компромиссы и мудрость. Умение не настаивать на своей правоте во что бы то ни стало, а предоставить другому быть правым, понимая, что тебе важнее мир, согласие и любовь в семье. И еще очень много всяких мудрых и важных решений и поступков.

Марк надолго задумался, и вот тогда он понял, что у него так никогда не получится, потому что если он прав, то он прав, и на этом все! И он эту свою правоту ни за что и никому не уступит, даже если это будет дед, или бабушка, или родители.

Ни за что.

Став постарше и пережив первый сексуальный опыт с достаточно опытной партнершей, он узнал, что с женщинами надлежит, помимо секса, еще и как-то обращаться. Она ему так и сказала:

— Да, Марк, ты, конечно, ошеломляешь напором и энергией и довел меня до фантастического финала, но ты совершенно не умеешь обращаться с женщинами.

Управляться с женщинами в постели она его обучила довольно быстро и изобретательно. А вот во всех остальных аспектах он не преуспел в обучении ни на грамм.

И так укоренилось у Марка в уме, что если он попробует все же обращаться с женщинами как-то всерьез, то непременно все испортит — управляться с ними он не умел, компромиссы и бытовую ложь не признавал, себя считал всегда правым и работать над чувствами не намеревался.

Все его отношения с женщинами заканчивались одинаково — они превозносили секс с ним, ходили первые несколько месяцев в восторженном состоянии, потом начинали требовать к себе какого-то особого внимания, он не понимал, что именно они хотят, просил объяснять словами, доступно: «хочу вот этого или мне надо вот то». Но все, что они озвучивали, казалось ему такой глупостью и полным бредом, что он не принимал их декларации всерьез, и очень скоро дамы исчезали из его жизни, громко хлопнув дверью и объяснив, что жить с ним невозможно, потому что он идиот и вообще сволочь. Ему все и всегда говорили, что он невозможный и «как с вами родные живут?».

Родные как-то живут. Наверное, непросто и трудно.

Проанализировав все исходные данные о себе, своих взаимоотношениях с женщинами и отношение к совместной с ними жизни, Марк сделал однозначный вывод, что вступать в близкие сексуальные отношения с Клавдией — это гарантированно потерять общение с ней через какое-то непродолжительное время.

Он невозможный, немудрый, работать над семейными отношениями и налаживать их каким-то правильным укладом и порядком не умеет, про особое внимание и обращение с женщиной ничего не понимает, к тому же статистика утверждает, что восемь браков из десяти распадаются в течение первых же нескольких лет.

Нет, потерять ее он не может себе позволить. Никак. Ни при каких обстоятельствах. Это просто невозможно.

Поэтому премудрый Марк Светлов решил твердо раз и навсегда — Клавдия будет ему родным и близким человеком, как младшая сестра, как самый близкий, самый душевный и доверительный друг. И все. И ничего и никогда, кроме этого.

О чем он и уведомил ее тогда на мысу, в последний день лета, когда она призналась ему в любви.

— Мы можем быть только друзьями, Клавдия, — глядя в ее малахитовые, совершенно нереальные глаза, наполненные непролитыми слезами, произнес он свой приговор. — Ты самый близкий и самый родной мне человек, родная душа моя, и я не могу тебя потерять. Ни в коем случае. Интимная близость быстро приедается, и, потеряв ее притягательность, люди становятся чужими друг другу и неизбежно расстаются. Находят других партнеров и уже не могут оставаться близкими людьми. Я не подходящий для семейных отношений человек, женщинам со мной сложно, и они быстро устают и сбегают, а любовные отношения не для тебя. Поэтому мы будем просто самыми близкими друг у друга людьми, всё. И больше никогда не станем возвращаться к этому разговору. Договорились?

— И глупая, влюбленная, несчастная девочка Клава подтвердила, что да, договорились, — тягостно вздохнув, попеняла себе, той далекой двадцатилетней девочке, нынешняя повзрослевшая Клавдия.

Она все же тогда не удержалась, заплакала.

А он обнял ее за плечи, прижал к себе и утешал, объясняя шепотом что-то там заумное, обосновывая свою теорию их взаимоотношений, что-то про константы и переменные и приводя какие-то веские аргументы.

Первый раз Марк вызвал ее к себе в октябре.

Она знала, что он отправился в Новосибирск в составе группы ученых, которые работали над одним важным проектом, на какую-то там закрытую конференцию, где именно он должен делать доклад, они это обсуждали накануне его отъезда по телефону.

К тому времени Клавдия уже успела узнать, что Марк, легко и непринужденно читавший лекции огромной аудитории студентов, искрометно, с юмором выступавший на ученых советах и диспутах, всегда ужасно волновался и переживал, когда ему предстояло выступление с трибуны на всяких научных съездах, форумах и конференциях. И заранее начинал жаловаться, сетовать и канючить, как капризный ребенок:

— Что я там понадокладываю? Есть помастистей меня ученые, да и Панфилов вон тоже в теме, пусть он и докладывает, он это дело любит.

И Клавдия должна была срочно уговаривать и убеждать, что он именно тот самый и единственный докладчик, который нужен всем, и только он один и справится — ну а кто ж еще! «Ты что? Только ты и можешь». Это у них такая традиция сложилась сама собой, с первого же раза, когда он ей пожаловался, что терпеть не может выступать перед собранием ученых, и долго ворчал и стенал, когда собирался на конференцию.

— Панфилов не может докладывать, он всего лишь один из членов группы, а ты заместитель руководителя, и идея твоя, — увещевала его Клавдия, успокаивая. — У тебя все прекрасно получится, ты только расслабься. Подыши по системе, как ты умеешь, отключись от всего. Ты справишься.

И так далее, так далее.

Он улетел в Новосибирск и неожиданно позвонил поздно ночью, разбудив Клаву и ужасно ее напугав.

— Клав, — совершенно замученным голосом позвал ее Марк, как дитя зовет мамку, — я тут что-то совсем устал.

— У тебя что, голова болит? — тут же испугалась Клавдия, аж подскочив на кровати.

— Ну не то чтобы до смерти болит, но устал я зверски. А еще два дня здесь работать. — И вдруг попросил: — Клав, прилетай, а?

— Как это? — растерялась она.

— Самолетом, — пояснил Светлов. — Я тебе уже и билет взял электронный, и отправил все данные на твою почту. Правда, вылет у тебя через четыре часа. Прилетишь?

Ну а какие у нее были варианты? Разумеется, она даже не раздумывала: побросала какие-то вещи в сумку, отправила сообщения подругам с просьбой прикрыть ее как-то на занятиях и понеслась спасать. И ужасно за него испугалась, и думала весь полет, как он там выдержит без нее эти часы боли и сможет ли она, как тогда на мысу, помочь ему.

Но помогать не пришлось, выяснилось, что тревога оказалась ложной, голова у него и вправду болела, но обычной, не приступной болью, хотя и довольно сильной от усталости и напряжения.

Выкроив несколько часов в плотном графике конференции, Марк с Клавдией отправились гулять по городу, уже немного припорошенному первым снежком. Порасспрашивав местных жителей, нашли прекрасное видовое место с замечательной панорамой и долго сидели там, взявшись за руки, и молчали, по своему обыкновению. И Клавдия чувствовала, как расслабляется, успокаивается Марк, как наполняются они оба новым потоком жизненной энергии.

И только сейчас она осознала, что и сама находилась все последнее время в постоянном напряжении, как пружина на двери, которую распахнули и подперли, чтобы не закрывалась постоянно, а сейчас вот вздохнула полной грудью, перезагрузилась, очистилась от чего-то гнетущего, попав в резонанс с Марком того непонятного и прекрасного, что случалось с ними в их молчании, — одного на двоих.

Он не просто купил ей билет, но и снял для Клавы номер в той же гостинице, в которой жила их делегация. А через сутки отправил обратно в Москву, оставшись на конференции.

Чай она себе заварила, но им одним не ограничилась, поняв, что хочет есть, от нервов, что ли, да какая разница от чего — заесть-то переживания надо.

Клава распахнула дверцу холодильника, придирчиво рассматривая его содержимое.

— И что мы хотим, малыш? — спросила она у ребенка в животе и ответила за двоих: — А хотим мы сырка вкусного, да на хлебце гречневом, маслицем помазанном, да с помидоркой сочной, сверху уложенной, а еще, пожалуй, рыбки красненькой на таком же хлебце. И все это с чайком, медом сдобренным. Как тебе такое меню?

Видимо, озвученное меню малыша устроило идеально, ибо протестовать он не стал.

Клавдия с особым эстетским удовольствием, почти любовно соорудила себе пару бутербродов, налила большую кружку чаю, бухнула в него приличную ложку меда, размешала — ух, какое все почти вредное, да посреди ночи — красота! Устроилась за столом — в одной руке бутерброд на правильном хлебце, в другой — кружка с чаем, вздохнула и в предвкушении спросила:

— Ты не знаешь, малыш, почему днем спится слаще, а ночью еда в разы вкуснее? А? — и откусила смачно так, что аж глаза зажмурила от удовольствия.

После бутербродно-чайного наслаждения Клавдия, почистив еще раз зубы, решила полежать в кровати и в один момент отключилась.

Но даже сон ничего не исправил в настройках ее мироздания и не остановил — стоило ей проснуться, как воспоминания сразу же полностью ее захватили и потекли дальше с того самого места, на котором остановилась перед сном.

Больше года после того памятного разговора на мысу в последний день лета, когда Марк расставил все по правильным, с его точки зрения, местам, Клавдия пребывала в наивных иллюзиях и ожидании, что должно что-то измениться и Марк непременно передумает и поймет, насколько она ему важна не только в качестве друга, но и как женщина, как его любимая.

И не просто так жила и надеялась, сидя ровненько на пятой точке в ожидании чуда, а всячески пыталась поспособствовать его озарению на этот счет, и однажды вернулась к разговору на тему их отношений, а когда ничего из затеи с разговором не получилось и Марк просто оборвал ее убедительную, эмоциональную речь, Клавдия предприняла попытку его соблазнить.

Ничего путевого из этого не вышло, а вышел сплошной конфуз и ужас какой-то.

Это уже на следующее лето случилось. Светловым настолько понравился дачный отдых, да и Марк там себя намного лучше чувствовал, что они снова сняли дом с участком на все лето, но в этом году в Верхних Полянах никто не сдавал свой дом, и они нашли участок в другом поселке километрах в тридцати от них, но в стороне, не по их направлению.

Узнав, когда Марк останется в квартире один, Клавдия продуманно-эротично разрядилась, сделала прическу, макияж, каблуки, прихватила бутылку шампанского и пришла поздно вечером к нему в гости под тщательно продуманным предлогом, что сдала работу, за которую получила хороший гонорар, и надо бы это дело отметить с дорогим другом.

Кстати, работу она и на самом деле сдала, и гонорар получила, так что врать не пришлось, чего она совершенно не умела и могла сразу же «спалиться». А вот со всем остальным...

Сначала Марк Светлов в присущей ему манере прямолинейно поинтересовался, взяв бутылку в руку и рассматривая этикетку:

— Нет, это, разумеется, замечательно, что работа удачно завершена и большой гонорар, но с чего ты пить-то вознамерилась, Клавдия? Первый, что ли, твой хороший гонорар и достойно сделанная работа? К тому же ни ты, ни я алкоголь не особо уважаем? А? — Он подозрительно посмотрел на нее взглядом своих чуть прищуренных темно-серых глаз через торжественно сервированный стол, над которым Клавдии пришлось потрудиться.

Она принялась что-то там невнятное разъяснять, растерялась, покраснела, сбилась с мысли и от неловкости махнула одним глотком полбокала шампанского, которое, прав был Марк Глебович, и на самом деле не очень-то и любила.

— Та-а-ак, — протянул Марк тоном строгого отца, застукавшего несовершеннолетнюю дочь за распитием спиртосодержащих напитков, и поставил бутылку на стол. — Клавдия, ты что, решила меня соблазнить, что ли? Я правильно все это понял? — спросил он строжайшим голосом, обведя накрытый стол рукой.

— Правильно, — задиристо ответила Клава. — Кто-то же должен из нас двоих это сделать. Ты меня не соблазняешь — значит, придется мне.

— Нет, не должен, — отрезал Марк, и в голосе его зазвучал металл. Он подробненько повторил ей то, что разъяснил год назад, чуть ли не слово в слово.

— То есть ты меня не хочешь как женщину, я не вызываю у тебя желания? — пропустив все его слова мимо ушей, спросила о самом главном, мучившем ее весь этот год, опьяневшая в момент Клавдия.

— Я тебя хочу, и ты привлекаешь меня как женщина, — жестким тоном, очень строго и холодно произнес Светлов. — Но ты для меня гораздо

130

важней, чем сексуальный партнер. Ты самый близкий и самый важный мне человек, ты мой друг, и терять эту дружбу и тебя я не намерен.

— Так мы ее и не потеряем, мы просто станем парой, — настаивала на своем Клава.

— Нет. Я все уже объяснил: интимная близость не длится долго, и люди в большинстве случаев расстаются.

— А мы будем тем самым меньшинством, — упорствовала Клавдия.

— Нет. Мы не станем рисковать, — произнес он тем самым своим тоном, после которого было категорически бесполезно спорить.

Клавдия прекрасно знала эту его манеру — он же упертый, он всегда добивается своего, если что-то решил, порой просто из принципа, иногда даже во вред самому себе.

Настаивать бесполезно. Всё. Это железное и окончательное решение. Точка личным почерком Марка Светлова.

А потом — это ужас какой-то! — он сгреб ее со стула, оттащил в ванную, стянул эротическое платье, напрочь проигнорировав слабое сопротивление, сунул ее голову под струю воды и своей здоровенной ладонью намылил лицо и тер, смывая макияж, заодно борясь таким образом с ее внезапным опьянением.

Долго вытирал ей голову полотенцем, напялил на уже покорную Клавдию свой банный халат и снова усадил за стол. И они в полном молчании поужинали всем, что она приготовила и так старательно украшала.

А через месяц после фиаско с соблазнением Клавдия самым неприятным образом впервые столкнулась с девушкой Марка.

Он снова был в Новосибирске и позвонил оттуда весь больной, несчастный, с сиплым горлом и хлюпающим носом.

— Я тут совершенно ужасно разболелся, Клав. Прилетай, будь другом? Я и билет тебе взял уже. — И переспросил несчастным голосом брошенного всеми, позабытого на улице под дождем и снегом, голодного, дрожащего от холода, отчаявшегося вернуть свою хорошую, сытую жизнь и решившего пропадать уж совсем окончательно пса: — Прилетишь, а?

Разумеется, она полетела. А как же.

За почти два года их знакомства Марк простужался однажды, а еще один раз подцепил грипп, и тут же выяснилось, что хворать он совершенно не умеет, сразу же становится хуже маленького ребенка, и его непременно нужно спасать и нянчиться с ним, и, ясное дело, он быстренько делегировал эту миссию Клавдии как назначенной на почетное место его спасительницы.

И она должна была ехать и спасать, как и положено, и никто другой спасти его не мог. И варить ему куриный целебный бульон, который могла, по его убеждению, приготовить только Клавдия, и жалеть его, готовить и подавать ему горячее питье, поглаживать по пышущей жаром от температуры голове, и сидеть рядом и читать вслух рассказы Чехова или Бунина.

Хорошо хоть вирусными заболеваниями и простудами болел он крайне редко.

Клавдия прилетела в Новосибирск ранним утром и, взяв такси, сразу же помчалась в гостиницу. Дверь ей открыла грудастая девица с какими-то нескончаемо длинными ногами, теряющимися где-то вверху, за краем наброшенной на голое тело рубашки Марка, которая спросила безразличным тоном, окинув Клавдию пренебрежительным взглядом:

— Ты врачиха, что ли? — И, не дождавшись ответа, прокричала в глубину номера: — Маркуша, к тебе тут врачиха пришла!

— Это не врачиха, это Клава, — прохрипел он в ответ и позвал: — Клав, иди сюда.

Он лежал в кровати, красный, вспотевший от высокой температуры и голый под одеялом, и было совершенно очевидно, что он вот только что занимался сексом с этой длинноногой барышней.

И Клава как-то в момент ужасно, просто ужасно и безысходно расстроилась, настолько, что ее саму аж до слез бросило в жар.

— Что за Клава? — спросила у нее за спиной девица Марка.

— Мой друг, — прохрипел он, не собираясь представлять Клавдии барышню, и жалостливо попросил: — Клав, спаси меня, а? А то что-то мне совсем плохо.

Но это не помешало заниматься сексом, раздраженно подумала тогда Клавдия и, пересилив свою раздражительность и обиду, вздохнув, приступила к операции спасения.

Это были два самых ужасных дня в ее жизни. Она возилась с Марком, а девица, которую, как выяснилось, звали Виктория, никуда уходить не торопилась, она доставала Клавдию выяснениями, кем она на самом деле приходится «Маркуше», изводила ее своими рассуждениями о жизни, о том, кто какого уровня крутизны, сколько зарабатывает и что на это можно купить.

А вечером Виктория отправилась спать с Марком в его комнату, и устроившаяся на диване в гостиной Клавдия слушала доносившиеся оттуда звуки и стоны, хорошо хоть всего один раз за ночь.

Это было пределом для нее. Всё, поняла Клава. На следующий вечер она улетела обратно.

От полного отчаяния ее спасало только то, что встречались они с Марком не часто — раз в месяц, иногда раз в два месяца, а то бывало, что и в три — он очень много работал, да и Клавдия заканчивала институт и параллельно подрабатывала. Зато переписывались и созванивались по нескольку раз в неделю и всегда знали дела и новости друг о друге.

Вернувшись домой, Клавдия проплакала полночи, а потом сказала себе: «Хватит! Остановись!

Давай смотреть трезво и разумно на сложившуюся ситуацию».

И посмотрела.

Что у нас самое главное? Ну это понятно — она его любит, он для нее близкий и очень родной человек, теперь уже, что обманываться, — Марк стал важнейшей частью ее жизни, и расстаться с ним для Клавдии невозможно, все равно что оторвать кусок самой себя. Но и продолжать жить в тех рамках, которые он ей навязал, тоже невозможно.

Значит, что? Значит, меняем то, что можем изменить. А именно: она прекращает жить пустыми ожиданиями перемен, носиться с призрачной надеждой, чувствуя себя ребенком прислуги на елке в богатом доме, который в ожидании подачек со стола провожает несчастным взглядом и грустной улыбкой каждый сверток в цветастой упаковке, вытащенный из-под елки господскими детьми. И страдать пустые страдания, ни к чему не ведущие, ведь так и пристраститься к ним недолго и начать упиваться состоянием «раба любви», как в дешевом бульварном романе, — нет, нет, не надо ей такого!

Хватит с нее этой friendly love — дружеской любви.

Пора честно признаться себе, что любить Марка она никогда не перестанет.

Но если из-за его упрямства и непонятно чего заклинившего в его ученой, гениальной голове он не позволяет ей соединиться с ним и создать нормальную семью, значит, надо найти партнера, с которым такая жизнь и такие отношения возможны и вполне реальны.

«А любовь? — спросила она себя и сама же себе ответила: — Да пусть бы с ней, с той любовью, одна уже есть. Был бы человек хороший, а там посмотрим».

И Клавдия, как человек деловой, целеустремленный и решительный, намерилась сразу же реализовать свои новые жизненные установки. А тут как раз произошло важное событие — она закончила магистратуру, а с ней и университет, защитилась и получила диплом.

На празднование в Верхние Поляны пригласила некоторых однокурсников, в том числе и Николая, который вот уж три года как сох по Клавдии неразделенной, безответной любовью и все пытался за ней ухаживать. Сама находясь в подобной ситуации, Клавдия никогда его чувств не обижала, старалась быть терпимой и понимающей, иногда, правда, он ее, конечно, доставал своими ухаживаниями и симпатией, не без этого, но что тут поделаешь.

В этот раз она решила все же что-то с этим сделать и пригласила Коленьку к ним в поселок.

Отмечали здорово — сначала в Москве погуляли вместе со всей группой, покатались на катере по Москве-реке, а когда гуляние начало перерастать в банальную пьянку с планами на продолжение в ночном клубе, их небольшая группка отделилась от основной массы и поехала в Поляны, где их ждал торжественный ужин и шашлыки.

Клавдия для смелости и раскрепощения махнула полбокала шампанского и целовалась с Коленькой от всей души и со старанием, спрятавшись от лишних взглядов за банькой.

Там ее и обнаружил Марк, приехавший специально после работы поздравить Клавдию со столь знаменательным событием, — застал прямо в момент очередного, затянувшегося, страстного поцелуя.

— Клавдия! — прогрохотал он возмущенным голосом. — Что здесь происходит?!

Клавдия, оторвавшись от Коленьки, в первый момент перепугалась ужасно, увидев разгневанное выражение лица Марка, но быстро взяла себя в руки и постаралась спокойно ответить (вышло так себе, больше похоже на робкое блеяние, чем на ответ женщины, полный достоинства):

— Мы целуемся.

— Это я как раз вижу! — громыхал доктор наук Светлов.

— Эт-то кто? — просипел рядом Коленька, чуть запнувшись с испугу.

— Злой дяденька! — рыкнул на него Марк.

— Вы это... — Коленька сделал какие-то непонятные пассы руками, неотрывно глядя на разъяренного здорового мужика, неизвестно откуда здесь взявшегося, — того...

— Что того? — грозным тоном переспросил Марк. — Извольте ясно выражаться, молодой человек!

— Да, — кивнул Коленька и сглотнул, громко при этом хлюпнув со страху горлом, но, преодолев себя, все же добавил: — Не этого здесь... — и добавил для ясности, сбившись от нервов на фальцет: — того!

— Я понял, — уверил его Светлов, перевел гневный взгляд на Клавдию и распорядился: — Иди за мной!

Развернулся и зашагал к дому, абсолютно уверенный, что она пойдет за ним. Чуть захмелевшая и немного обалдевшая от поцелуев Клавдия, к тому же обескураженная его внезапным появлением и нападением, безропотно потащилась за Марком в дом, как провинившаяся школьница за грозным директором.

Стремительно прошагав в ее комнату, дождавшись, когда она войдет за ним следом, весь такой напряженный, раздраженный, Марк Глебович захлопнул за ней дверь и, подойдя почти вплотную, нависнув над ней, принялся отчитывать грозным голосом за этот поцелуй и понес не пойми что, совершенно нелогичное, мол, у нее новый непростой этап: учеба закончена и надо устраиваться в жизни, осваиваться в новой работе и коллективе, думать о карьере, а не целоваться с хлюпким юнцом по подворотням, и так далее, и так далее.

138

Клава довольно быстро опомнилась, отойдя от первого шока, пришла в себя, совершенно обескураженно смотрела на его разъяренное, недовольное лицо, обалдев от столь беспредельного наезда.

— Марк, Марк, — попыталась она остановить его, — что ты несешь? Какая карьера, какой коллектив, при чем тут это?

— А такая! — гремел он, накручивая себя все больше и больше. — Нормальная! И отношения должны быть нормальные, а не для того, чтобы только переспать!

— Так! — разозлилась вдруг на него Клавдия всерьез в один момент и потребовала железным тоном: — Все! Хватит! Остановись!

— Что? — прогрохотал он напоследок, уже осознав, что куда-то не туда его понесло и непонятно, что он тут ей выговаривает, но Марку было сложно остановиться: — Вот этот мальчишка без характера и стержня и есть твой избранник?! Партнер по горячему сексу?!

— Я буду спать с тем, с кем захочу, и тогда, когда захочу, и тебя это не касается! — повысив голос, отчеканила Клава и осадила его резким жестом руки, когда он попытался было что-то горячо возразить. — Я хочу жить нормальной полноценной жизнью. Чтобы меня любили как женщину, хотели, и когда-нибудь в будущем намерена иметь семью. А поскольку ты отказался от взаимоотношений такого рода со мной, отведя мне роль друга, то я буду в мужья и любовники выбирать того, кого захочу. И это тебя не касается.

Он сопел от переполнявшего его негодования, буравил ее взглядом, и желваки на скулах ходили у него ходуном, но как ученый, как человек, привыкший в первую очередь и всегда руководствоваться логикой, разумом и здравым смыслом, Марк отчетливо понимал, что она во всем права.

Вот права! Будь оно все неладно! Как понимал и то, что сам загнал себя в ловушку таких обстоятельств и сам толкнул ее во взаимоотношения с другими мужчинами.

И тут Клавдия не удержалась от упрека:

— Ты же спишь с другими женщинами и, насколько мне известно, с их выбором ты особо не заморачиваешься.

— Это совсем другое, — тут же возразил Марк. — Это просто секс, а секс — поставщик гормонов дофамина и эндорфина в организм, которые усиливают процессы мотивации и обучения, выступая системой вознаграждения, улучшающей процессы в мозгу и всего организма в целом.

— Очень хорошо! — завелась Клавдия не на шутку. — Я рада, что тебе регулярно поставляются в нужном объеме и сверх того необходимые и правильные гормоны вместе с системой вознаграждения! Но я тоже хочу, чтобы мой мозг стимулировали эти самые твои дофамины с эндорфинами! И все остальное стимулировали тоже, с мотивацией, и обучением, и бог знает чем еще жутко полезным! Ясно?

— Это совсем другое! — повторился Марк, настаивая. — Для меня это просто секс, и ничего более, а ты так не сможешь, ты совсем другая, тебе отношения нужны, влюбленность!

— И что? — воинственно спросила Клавдия.

— А то, что ты влюбишься — и фьюить! Нет тебя! И где мне тогда тебя добывать! — негодовал Марк.

— Да куда я денусь! — прокричала в ответ Клавдия.

— Да откуда я знаю! — завелся он. — Вон с малолеткой каким невразумительным любовь закрутишь, и все! — и махнул в сердцах рукой. — Целуется направо и налево, а что дальше! Дальше мне что, с твоими женихами обниматься?!

И, распалив себя подобным образом, прожег ее острым взглядом, сопя от негодования, потом внезапно развернулся и стремительно зашагал прочь, хлопнув дверью так, что стены затряслись.

Только его и видели.

В комнату заглянула бабуля, ставшая невольной свидетельницей их бурных «дебатов», и тихонечко подошла к внучке, наблюдавшей в окно за Марком. Клавдия, уже совсем не сдерживая обидных, горьких слез, посмотрела на нее больными глазами и спросила:

— Ба, он идиот?

Вера Михайловна обняла свою страдающую внученьку, поцеловала ее в макушку, чуть отстра-

141

нилась, погладила по голове и ответила с мудрой, нежной улыбкой:

— Конечно, нет, Клавденька, и тебе это прекрасно известно. Марк особый человек, гениальный, а такие люди видят мир и воспринимают жизнь совсем иначе, чем мы, простые люди.

— Но зачем он вот так? — жаловалась Клавдия.

— Как я понимаю, он считает тебя своей собственностью и ни с кем не собирается тобой делиться.

— Да, — кивнула Клава и призналась: — Но и сам пользоваться не собирается. — И посмотрела в глаза бабуле больным взглядом: — Он решил железно и навсегда, что мы будем только друзьями и никаких иных отношений между нами невозможно. И знаешь почему? — всхлипнула она и пояснила: — Потому что, дескать, если мы станем любовниками или мужем-женой, то непременно разойдемся и расстанемся, а он терять меня не намерен. Представляешь?

— А ты посмотри на это с другой стороны, — предложила Вера Михайловна, утирая слезу со щеки внученьки. — Он же может оказаться прав. И подумай, в каком качестве он для тебя важней: в качестве мужа или самого близкого человека в жизни. Выбор-то, конечно, трудноватый, особенно в твоем возрасте.

— И что делать? — всхлипнула Клава, утирая слезы.

— Это твоя жизнь, и только тебе решать, что с ней делать, — улыбалась бабуля, — и если я правильно поняла, то Николай и ваши поцелуи за баней — это не что иное, как твой протест Марку, не желающему видеть в тебе женщину, и утверждение начала нового этапа жизни, не так ли?

— Да, утверждение, — тягостно вздохнула Клавдия и, положив голову бабушке на плечо, пожаловалась: — Но это так обидно, ба. И так больно.

— Я много раз тебе говорила, что обижаются только горничные, люди думающие делают выводы из обстоятельств и своих собственных ошибок, ищут иные пути и идут дальше, — напомнила ей Вера Михайловна и похвалила: — Похоже, что ты ищешь тот самый выход и уже пытаешься двигаться вперед. И не имеет значения, будет ли это ошибкой или самым верным решением, это только время покажет, главное, что ты не застряла в этой своей amor insatisfait, — произнесла она по-французски.

— В несостоявшейся любви, — печально вздохнув, перевела Клавдия.

Постояли, обнявшись, бабуля все поглаживала и поглаживала ее по голове, успокаивая и подбадривая, и вдруг усмехнулась:

— А Коленька-то, Коленька ваш, не убоялся. — И процитировала: — «Вы это, не этого здесь», и пояснил: «того». И петуха дал с перепугу.

И Вера Михайловна затряслась от душившего ее смеха, Клавдия хмыкнула, вспомнив побелевшее лицо ухажера в момент морального наезда Марка, и, не удержавшись, расхохоталась следом за бабушкой.

Они хохотали, обливаясь слезами, и Вера Михайловна показывала внучке, как вытянулось лицо ее кавалера, как он сглотнул, передергивая кадыком, и... и они заходились новым приступом хохота.

— Он там хоть как? — вытирая слезы, сдавленно произнесла Клава, насмеявшись вволю.

— Дед успокаивает и отпаивает чаем, — махнула рукой бабуля. — Жить будет, и даже, возможно, счастливо. — И уточнила, посмеиваясь: — Но, по всей видимости, без тебя.

А Клава призадумалась, посмотрела в окно и спросила:

— Как ты думаешь, что теперь будет? Марк больше не появится?

— С чего бы? — удивленно спросила бабуля. — Не из-за Коленьки же. А то, что ты отстаиваешь свое право жить, как ты считаешь нужным, напоминаешь ему, что ты женщина, у которой есть и свои жизненные интересы, так и давно пора. Роль жертвы никогда не была твоим жизненным амплуа в силу совершенно не приспособленного к ней характера, и быть просто удобным существом для Марка, которым можно пользоваться по своему усмотрению, ты бы никогда не смогла, да и он бы не принял тебя такой, никогда бы не полюбил слабую личность и женщину-размазню.

— Но я мчусь по первому его зову, как только он позвонит и куда он скажет, — напомнила Клавдия обстоятельства их странного общения.

— Да, — кивнула бабуля, — мчишься, но признайся: только потому, что тебе самой это очень нравится и ты испытываешь и переживаешь вместе с ним какие-то невероятные ощущения и чувства, и только потому, что тебе с ним захватывающе интересно. А то, что ваши отношения не складываются так, как хотелось бы тебе, так ты сначала точно разберись, чего именно ты хочешь, а потом добивайся этого.

Да уж, ей бы хотелось... ого-го, чего ей хотелось бы, а получилось... ну все знают как.

После скандала они не созванивались, не переписывались и не встречались... аж целых две недели! А потом Марк позвонил и как ни в чем не бывало пригласил Клавдию в оперу на известного тенора, приехавшего в Москву дать всего несколько эксклюзивных постановок.

Опера — это еще одна отдельная тема.

Валентин Романович, дед Марка, любил оперу трепетной и беззаветной любовью, разбираясь в ней досконально, знал всех известных мировых звезд оперного искусства, знаменитых дирижеров и оркестры, мог различать в записи, какой оркестр под управлением какого дирижера исполняет произведение.

Родные и близкие, поддерживая его в этом увлечении, старались доставать билеты на лучшие спектакли, готовились к таким событиям за много месяцев, бронируя билеты, иногда бывало, что и за восемь месяцев, и за год вперед, стимулируя Валентина Романовича таким образом жить и бодриться, чтобы пойти на столь важное мероприятие.

Однажды Марк пригласил Клавдию пойти вместе с ним, бабушкой и дедом на одну из таких выдающихся опер, с ведущим мировым тенором в главной роли, которую они ждали полгода.

— Почему ты меня-то приглашаешь? — недоумевала тогда Клавдия. — Почему ты не идешь со своей девушкой?

— С кем? — сильно удивился вопросу Марк Глебович.

— С девушкой твоей, с Оксаной, — напомнила ему Клава и уточнила: — С которой у тебя сейчас отношения. Насколько мне известно, она искусствовед и человек вполне интеллигентный и эрудированный, и ей наверняка будет интересно это мероприятие.

— Какие отношения, Клав, ты о чем? — недоумевал он. — Девушка девушкой, а в оперу с нами идешь ты. — И недоуменно переспросил: — А кто еще?

Собственно, на этом вопрос был закрыт — спорить с Марком можно с таким же успехом, как доказывать что-то глухонемому и слепому заодно человеку, результат будет тот же: горло сорвешь, нанервничаешься до сердечного приступа и исступления всех своих нервов, а все останется неизменным: человек будет спокойно делать то, что и делал до того, как ты пристал тут к нему, а ты, скорее всего, отправишься пить валериановые капли. Так что девушки Марка — это одно явление в его жизни, а в оперу, так же как на концерты, в театры на премьеры и даже на некоторые официальные приемы с ним ходит Клавдия.

После оперы Клава осталась ночевать у Светловых на привычном, уже почти родном диване, и к теме ее взаимоотношений с другими мужчинами, поцелуев за баней и получения Марком правильных гормонов с другими женщинами они не возвращались. И про устроенный им скандал даже не вспоминали.

Мир был восстановлен, и оба облегченно вздохнули.

Рассветало, а Марк так и не спал ни минуты, весь погрузившись в размышления о Клавдии и воспоминания о ней, то бродя под эти мысли по квартире, то, как сейчас, стоя у окна.

Когда он увидел, что Клава упоенно целуется с каким-то парнем, его затопило волной бессильной, ослепляющей ярости — что это за безобразие, зачем она тут целуется с кем-то и как такое вообще возможно?

Он вспылил, не отдавая себе отчета, что почти кричит, отчитал ее, наговорил лишнего, устроил глупый, никчемный скандал и, в сердцах хлопнув дверью, уехал обратно в Москву.

И всю ночь метался по квартире, как тигр, запертый в клетке, передумывая нелегкие мысли, а к утру понял и, как человек, никогда себе не вравший и старавшийся быть во всем правдивым, даже иногда в ущерб себе самому, вынужден был признать тот факт, что Клавдия права — если он не хочет и не желает из трусости или по каким-то иным причинам дать ей полноценную жизнь и нормальные отношения, то почему она должна отказаться от них совсем?

Она сильная личность, большая умница, замечательный человек и очень интересная, симпатичная, даже красивая девочка, и обязательно найдется другой мужчина, с которым у нее будут отношения, в этом не приходится сомневаться. А он это совершенно не принял в расчет, составляя уравнение их с Клавдией жизни. Почему он упустил из внимания тот факт, что у нее может быть и своя личная жизнь?

Собственно, вариантов решения этой неожиданно возникшей проблемы всего два — либо Марк вступает с Клавдией в интимную связь и они живут вместе и, может, даже налаживают полноценную семью, либо он должен ее отпустить и позволить ей иметь интимные отношения с другим человеком и устраивать семью с кем-то другим.

Оба варианта были плохи, но иного выбора у Марка не имелось.

И скрепя сердце он вынужден был принять решение Клавдии, которое она красноречиво продемонстрировала и отстаивала, и признать за ней право на свободу выбора и устройство своей личной жизни.

Отпустил, чтобы не потерять совсем.

С тех пор прошло уж восемь лет, за которые многое изменилось.

И даже произошло одно необъяснимое чудо — после того приступа головной боли, который непостижимым образом вылечила Клавдия, эта напасть ни разу не возвращалась.

Но он никогда не говорил об этом Клавдии. Никогда. Даже не намекал на полное исцеление. Но и на возможность повторения той убийственной боли («ой-ой, кажется, приступ начинается!») тоже не намекал, не врал ей никогда и не манипулировал.

Хотя... что называть манипулированием.

Но не говорил. Это факт. И вроде бы как-то сама собой продолжала висеть над ними призрачная вероятность повторения его болезни, оправдывающая столь плотное и постоянное присутствие девушки в его жизни.

Марк это четко понимал и все же не касался этой темы. М-м-да, вот тебе и бескомпромиссная честность, и особая жизненная позиция: «бронепоезд» как-то стушевался.

Вот и Марку не хватило его хваленой принципиальной правдивости, чтобы сообщить Клавдии о своем полном исцелении.

Вскоре после того скандала, спровоцированного поцелуями за баней, у Клавдии появился первый кавалер с серьезными намерениями на ее счет, и она сообщила Марку о возможной перемене в ее жизни, а он предупредил:

— Только не надо меня с ним знакомить, не хочу знать, что у тебя там за бурная сексуальная жизнь. — И как водится, честно объяснил прямым текстом: — Я тебя ревную, и мне неприятно думать, что какой-то мужик там с тобой делает, и смотреть на него и знакомиться с ним я не желаю.

— Ты в любой момент можешь все изменить, — напомнила ему Клавдия.

— Нет, — в очередной раз отказался он от всего, что она предлагала. — Мы это уже все обсудили и оставим так, как есть.

Но пустить на самотек ее романы он никак не мог — а если какой урод попадется или обидит ее кто. Нет, так не пойдет! И Светлов находил возможности и людей, которые добывали для него сведения о кавалерах Клавдии и все ли у нее в порядке. Подстраховывал издалека.

Но первый роман Клавдии долго не продлился, и Марк как-то внутренне успокоился. На какое-то время ему показалось, что все вернулось в привычное русло. Но потом у Клавы случился некий Александр, придраться к которому оказалось очень трудно, почти невозможно, ну еще бы — успешный бизнесмен, деловой человек, ровесник Марка, ухаживал за девушкой шикарно, с выдумкой, и похоже, что всерьез влюбился.

Вот здесь Марк забеспокоился не на шутку, и попереживать ему пришлось еще как, даже на работе отразилось — отвлекался иногда, задумавшись о Клаве и ее кавалере! Только все его переживания быстро закончились, не успев набрать крутых оборотов, — Александр поставил условие, что Клава должна прервать все отношения с Марком.

Ультиматум, смягченный признанием в любви и красочным описанием прекрасной картины их будущей совместной жизни.

Выдвигать условия Клавдия позволяла только одному человеку в своей жизни, и то по одному-единственному пункту, и более никому и никогда. И Марк, надо признать, не без злорадства узнал, что Александра в их жизни больше нет, и от души помахал тому мысленно рукой вслед.

После Александра долгое время никаких серьезных, длительных отношений у Клавдии не завязывалось, пока полтора года назад не появился этот Володя, с которым Марку довелось встретиться пару раз.

На первой встрече, надо отдать должное, Марк себя держал в узде, старался не нагнетать обстановку и не расстраивать Клавдию. А вот при повторной встрече не удержался, и его вдруг понесло.

Клавдия отвела Марка в сторонку и очень строгим голосом напомнила ему тот неоспоримый факт, что она не позволяет себе вмешиваться в его личную жизнь, давать оценку и критиковать его женщин и указывать ему, как и с кем следует жить, и не позволяет и не разрешает ему вмешиваться в ее личные отношения и давить авторитетом на ее мужчин.

— Да какие женщины, — отмахивался Марк, недовольно кривясь, понимая, что и на самом деле перегнул палку.

— Те, с которыми ты жил и спал, — сделала ударение на последнем слове Клава, — многие из которых особым интеллектом и жизненными достижениями не отличались, но я же не обсуждала с тобой их достоинства и недостатки, как и твою личную жизнь в целом.

— Какое это имеет значение? — не сдавался Марк, откровенно вредничая.

— Марк, перестань. Все, — произнесла Клавдия своим особым тоном.

Марк за годы общения с ней уже досконально изучил этот ее тон в лучшем виде: если она на него переходила, значит, все, он точно ее сильно чем-то достал и сделал что-то очень неправильно, и дальше педалировать, настаивать и развивать тему не рекомендовалось — получишь совершенно обратный эффект. Пару раз он попробовал «передавить» ее позицию, настаивая на своем, хоть и понимал, что не прав. Она разворачивалась, уходила от него и улетала в Москву.

Молча. Не предупредив и ничего не сказав. Ни слова, ни намека, ни записки какой в гостинице — выселилась, и адью! А они, между прочим, в этот момент находились весьма далеко от дома. А потом могла не общаться с ним недели две, пока Марк сам не звонил и, буркнув: «Ну ладно, может, и так» — сразу же переключался на другой разговор.

Прямо вот так признать и произнести: «Прости, ты была права, а я нет», — он не мог. Уж извините.

Да и здесь не стал. Ну пусть будет Володя, скрипнув зубами, согласился Марк.

Разумеется, Клавдия во многом права: женщин за эти годы в жизни Марка перебывало большое количество. Но что характерно, он первым никогда не проявлял инициативу, не подходил знакомиться и уж тем более никогда не... как это говорят, не кадрил, вот. Не кадрил, не «снимал», не высматривал в толпе, выискивая, какая понравится, не пытался идти напролом, и так далее.

Сконцентрированный только на работе, Марк всегда был занят исключительно своим делом, всегда и везде, в любое время суток только математикой, а женщины, руководствуясь какими-то известными только им критериями, высматривали его сами и сами же первыми проявляли инициативу. А он либо соглашался продолжить предложенное знакомство, либо нет, если женщина ему не нравилась.

Как-то дед объяснил Марку феномен популярности у женского пола:

— Интеллект — это самое сексуальное, что есть у мужчины. А у тебя к тому же, в дополнение к этому свойству, имеется в обойме еще и мужская стать. — И хохотнул, добавив: — Весь набор в букете.

Вот этот «букет» и выбирали женщины, еще и соревновались за него, что всегда сильно удивляло Светлова, да с чего бы, не такой уж он и подарок.

Но ни с одной из женщин отношения не длились долго и заканчивались приблизительно одинаково, собственно, по той причине, что он не придавал серьезности и этим отношениям.

Лет шесть назад Марк стал жить отдельно от родных, в своей собственной квартире, полученной при самом активном участии Виктора Павловича, который доказывал жизненную необходимость своей жилплощади для ученого такого уровня, которым являлся Марк Светлов. Собственно, Огородничий и был инициатором этого дела.

И вот на тебе: получилось.

Марк был невероятно признателен и благодарен своему учителю и наставнику, а тот только отмахивался:

— Это хитрый расчет, и ничего более. Понятно, что «дух настоящего мыслителя не может убить никакая бытийность», — процитировал он кого-то, — но насаждать бред про «голодный талант» недопустимо, более того, вредно и провокационно, он формирует у людей обычных слишком легкое, несерьезное отношение к интеллектуальной элите государства, мол, и голодные поработают, все равно что-то там придумают гениальное. Не поработают и не придумают, если в животе урчит, а на рабочем столе жена пеленки гладит рядом с его компьютером. Ученый должен иметь очень хорошие условия для работы: жилье, налаженный быт и высокий заработок. Так что стараюсь для себя и ради интересов науки: чем лучше будут у тебя условия жизни, тем эффективней ты сможешь работать и творить. Еще бы женился на достойной девушке, и душа моя была бы за тебя совсем спокойна.

А вот по этому пункту Марк не мог порадовать любимого наставника. При наличии собственной квартиры, да еще стараниями Клавдии и ее подруги-дизайнера превращенной в удобное, эргономичное, современное жилье с учетом всех особенностей характера, привычек, потребностей и пожеланий хозяина, завести роман с женщиной стало намного проще, но женщинам стало намного сложней, чем раньше, управляться с этим мужиком на его территории.

Все отношения с дамами протекали у Марка практически по одной и той же схеме. Как правило, на следующий же день после первой проведенной совместно ночи женщина переезжала к нему и как-то очень быстро и почти незаметно обустраивалась в его жизни, и квартира Марка заполнялась ее вещами.

И, освоившись, все они резко начинали чего-то от него хотеть: какого-то особого отношения, каких-то правильных слов и дел, совершенно недоступных пониманию и логике Марка.

Он дурел, когда женщины пытались его втянуть в общение на уровне: «Скажи, что думаешь, но только то, что я хочу услышать в данный момент».

Он не знает, что ты хочешь услышать.

Он вообще не понимает систему знаков в виде надутых губ, красноречивого молчания с немым укором и вопрос, высказанный недовольно-назидательным тоном:

— А ты не догадываешься?

Нет, етить коромыть, не догадываюсь! А что, должен?

Что я должен понять по твоему многозначительно искривленному мимикой лицу? У тебя зуб болит? Или живот? Или все пропало, что могло пропасть? Нет? Я должен догадаться, что вот та сумочка, на которую ты пялилась полчаса, пока я сводил в уме интересное дифференциальное уравнение, тебе понравилась, и я обязан был это понять по каким-то там признакам и метнуться ее покупать?

Серьезно?

А этот ответ на вопрос: «Что случилось?», — когда она в слезах и явно расстроенная чем-то, или сидит надутая, отворачиваясь от тебя, или отвечает:

— Ничего.

Снова несколько раз повторяется тот же конкретный вопрос: «Что случилось?», — а в ответ в который раз: «Ничего», и еще больше слез, и совсем ужасное выражение лица: «Мучаюсь, но стоически терплю», и так раза три, не меньше. Марка это вообще приводило в ступор. То есть слезы льем, губы обиженно поджимаем, голову отворачиваем, сопим от сдерживаемого негодования, это нормально, обычное дело — так называемое «ничего».

Ладно. Дело ваше. Поехали дальше.

И эмоциональный крик с наездом через какое-то время после его игнорирования этой пантомимы:

— Ты совершенно бесчувственный! Разве ты не видишь, что мне плохо, что я переживаю! Ты что, не понимаешь?

Так! Только что меня трижды заверили, что ничего не случилось, а теперь что, концепция поменялась?

Он офигевал. От совершенно нелогичных и тупых вопросов у него начинало ломить зубы. И вот этот дурдом вы называете общением? Отношениями? Так, что такое отношение в математике, я знаю, могу лекцию прочитать на эту тему, а вот это что?

Марк всегда повторял девушкам: «Скажи мне прямым текстом ту информацию, которую хочешь до меня донести, ответ на какой конкретный вопрос ты хочешь от меня услышать и что ждешь, чтобы я сделал.

Я не угадчик мыслей из цирка, чтобы выказывать чудеса провидения и чтения мыслей людей. Говори четко и по делу».

Ну не понимал он, и все, почему на вопрос «Ты по мне скучал?» — он должен непременно уверить, что да, скучал.

Аж скулы сводило, как скучал!

В его уме не укладывалось, что можно скучать по кому-то.

Валандаться, что ли, ни хрена не делать и скучать?

Ага. Понял.

Значит, я вот так сижу себе ровненько и скучаю, а когда этот некто, которого я тут жду не дождусь, наконец придет, то я сразу же перестану сидеть и ни фига не делать, потому как тот пришел и занял меня каким-то развлечением? Так, что ли?

А работать не пробовали? Ну чтобы не скучать? Говорят, помогает.

Марк прекрасно знал, как можно тосковать по человеку, понимал, что кого-то может сильно не хватать, и ты постоянно думаешь о нем, вспоминаешь, и хочется его обнять, прижать к себе, вдохнуть его запах и почувствовать себя наполненным, целым и счастливым.

А скучать...

Разговаривать с женщинами Марк не умел и не собирался этому учиться, и его манера высказываться в стиле прямолинейно прущего под парами бронепоезда ужасно их смущала. Дамочки принимались выговаривать ему и учить, как, по их мнению, следует общаться с людьми.

Марк совершенно не был способен угадывать женские желания, ухаживать тоже не умел, и с этим был полный швах, да он и не хотел занимать свою голову такими заморочками и пустыми, с его точки зрения, глупостями.

А женщины категорически отрицательно относились к тому факту, что Марк постоянно работал и большую часть времени, которое условно проводил с ними, на самом деле мысленно отключался, выпадая из общения в любой момент, в основном в самый неподходящий, мог и во время секса остановиться, соскочить с дамы и сесть записывать в блокнот пришедшую мысль-озарение. Бо́льшую часть времени он был не с ними и думал не о них.

Каждая выражала негодование по этому поводу по-своему и пыталась бороться с ним своими методами, но как только начинала это делать и что-то там отстаивать — с вещами на выход.

Да, была же еще и Клавдия!

Всем, кроме самого Марка, было понятно, что ни одна нормальная женщина не станет терпеть присутствия в жизни мужчины женщины-друга, как он позиционировал Клавдию.

То есть в жизни профессора Светлова основным фоном проходила исключительно Клавдия Невская, ну после математики, разумеется. Блокноты, в которых он записывал формулы-идеи, разбросанные по всему дому и на всех его рабочих местах, были какие-то особенные, Клавдия специально заказывала их для Марка в типографии, и только она одна знала, какие именно нужны. И «эту чашку не трогай, это Клавдии. А эту она мне подарила, тоже не трогай, к этой части шкафа не прикасайся, там вещи Клавдии, тапки ее не переставляй, шампунь-крем-фен не трогай, кофе этот не бери, это специальный сорт для Клавы, возьми другую пачку...» И так во всем.

Кому понравится? Понятно, что никому.

Поэтому, как только его очередная женщина полностью удостоверялась, что никаких сексуальных отношений между Клавдией и Марком нет, она тут же принималась избавляться от Клавдии любыми способами, первым делом низведя ее роль до уровня домработницы и сестры милосердия в одном лице, которая следит за порядком в доме, решает какие-то проблемы Марка, заботится о нем и носится с его настроениями и болячками.

Клава в качестве прислуги с большой натяжкой, но все же их устраивала.

А когда этот номер не проходил, то каждая по-своему пыталась решить эту проблему иным путем. Кто-то устраивал скандалы с разборками и выдвигал требования, после чего тут же отправлялся Марком с вещами на выход, кто-то действовал более хитро, пытаясь с Клавдией подружиться и сделать ее своей доверенной подружкой, но Клава неизменно держала жесткую дистанцию и дружбу с ними не заводила, но и не вступала в соперничество и не противопоставляла себя никому. А некоторые барышни принимались интриговать, придумывать какие-то немыслимые обвинения Клавдии чуть ли не в воровстве. Всякое бывало за столько-то лет.

В общем, женщины, появлявшиеся в жизни Марка, то и дело предпринимали попытки в ней закрепиться и устроиться, поруководить мужиком, сразу же чувствуя его перспективность как ученого, и... неизменно уходили, не совладав с его правилами жизни и сложным характером, не забыв высказаться напоследок.

А как же — ни одна не смогла промолчать, всем хотелось объяснить этому ученому, что он «невозможный человек», непробиваемый чурбан, совершенно непригодный для нормальной жизни, которому никто не нужен, кроме его драгоценной науки, и что терпеть его годами может только эта дура Клавка, и то лишь потому, что с ним не живет.

Единственная женщина, с которой Марку всегда было легко, просто, с которой неизменно много воздуха, юмора, молчания и радости, душевного и житейского комфорта, ну, это понятно...

Светлов всегда знал, что неизбежно наступит такой момент в жизни, когда Клавдия все же захочет создать свою семью, где для него уже не найдется места. Знал и с трепетом ждал этого момента, стараясь задвинуть мысли о будущем на край сознания, и всякий раз у него вздрагивало сердце, когда эти мысли всплывали вновь.

А она взяла и придумала ребенка.

И это было настолько неожиданно, настолько непредсказуемо и никак не учитывалось и не бралось им в расчет, что Марк совершенно растерялся.

Выкатившееся из-за крыши дома напротив солнце ударило Марку по глазам розовыми лучами, и у него одновременно с этим солнечным потоком вдруг вспыхнуло, возникло ясное и четкое осознание, что это ребенок Клавдии.

По-настоящему ее малыш! Ее!

И не имеет никакого значения на самом деле, что тот Володя тоже причастен к этому ребенку, ведь самое важное, что это ребенок Клавдии.

А потом Марк вдруг настолько ярко представил, как сидит сейчас, скрючившись в животе у Клавы, совсем-совсем малюсенький, голенький, абсолютно беззащитный детеныш и как ему там тяжело: темно, и места мало, и дышать, наверное, нечем, и слышит он все, что происходит вокруг мамы, и чувствует, когда она волнуется и переживает.

И так его это видение потрясло и впечатлило, что перехватило горло от сочувствия и какой-то трепетной нежности к этому крохотуле, вынужденному расти в столь непростых условиях, выслушивая весь тот бред, что несут взрослые рядом с его мамой, и плохо себя чувствовать, когда мама расстраивается.

Он повернул оконную ручку, рванул раму, распахивая окно, и с шумом втянул в себя крепкий, пряный воздух ранней осени, задержал дыхание и прикрыл глаза, потерев веки пальцами.

Что-то ведь надо со всем этим делать. Этот маленький, скрюченный малышок внутри Клавдии, его же надо как-то оберегать, защищать, делать для него что-то важное и нужное.

Разве сможет о нем позаботиться как должно этот Федя, который Володя, пусть он хоть сто раз отец? Это вряд ли.

Нет-нет, он не оставит и так не подведет малыша Клавдии, он обо всем позаботится и будет беречь их обоих.

И, резко выдохнув, освобождаясь вместе с воздухом от нахлынувшей минутной слабости, Светлов недовольно проворчал:

— Что она там за витамины-то пьет? Небось какую-нибудь ерунду.

И, решительно развернувшись, отправился в душ — надо привести себя в порядок. Что у него утром — лекция? Да, вторая пара, а до этого надо бы подъехать в центр, а по пути он позвонит одному человеку и все подробно разузнает.

Четыре года назад Марк получил профессорское звание, а три года назад возглавил отдел «Математического анализа и прогноза стратегических состояний» в Аналитическом центре, подчиняющемся Федеральной службе безопасности, военным и непосредственно Администрации Президента, точнее, наоборот: Президенту, безопасности и где-то потом военным. А помимо этой работы Марк читает лекции студентам и занимается, разумеется, научной деятельностью и изысканиями.

Анализ и прогнозы ситуаций в мире по разным направлениям с учетом сотен миллионов изменяющихся параметров, входящих информационных потоков производил отдел Марка Светлова с помощью уникального вычислительного дата-центра, оснащенного суперкомпьютером уже следующего поколения, с применением новейших разработок и технологий, который его умники-подчиненные любовно нарекли Марусей Стахановной за ударную, безостановочную работу, специально для которого были созданы просто фантастические вычислительные и математические программы и постоянно разрабатываются, вводятся все новые и новые.

За эти годы Марк оброс очень интересными связями и знакомствами, среди которых числился и уникальнейший человек, известный хирург-трансплантолог, новатор, тоже профессор, ученый. Собственно, на встрече ученых из разных областей науки, организованной Администрацией Президента, они и познакомились и как-то сразу прониклись друг к другу большой симпатией и уважением.

Чему не в малой степени способствовал тот факт, что оба порой до неприличия были прямолинейны в своих высказываниях, напрочь игнорируя всякие словесные марлезоны и необходимость что-то привирать и приукрашивать, не засоряя свои уникальные мозги несколькими правдами, которые потом требовалось держать в уме, чтобы помнить, кому что сказал.

Вот этому человеку и намеревался позвонить Марк Глебович, чтобы задать встревожившие его не на шутку вопросы.

Мелодия будильника, раздавшаяся ровно в двенадцать часов, напомнила Клавдии о необходимости позвонить Эльвире Станиславовне.

Звонить раньше не имело смысла — у старушки твердый распорядок дня, наработанный годами, в который входили утренние укрепляющие и косметические процедуры, гимнастика, завтрак и полуторачасовая прогулка в любую погоду, после которой следовало либо чтение книг, либо просмотр научных передач, а вот в двенадцать, перед легким обедом, общение с внешним миром разрешалось.

Усилием воли прервав поток воспоминаний, захвативших ее, Клавдия набрала номер Карелиной.

— Как ваша хандра и переживания? — поинтересовалась мемуаристка.

— Переживаются, — вздохнув, призналась Клавдия.

— А вот и нечего, — строго отрезала Эльвира Станиславовна и распорядилась: — Приезжайте, надо работать, это лучшее лекарство от любой глупости, тем более такой, как мужчины.

Они договорились о времени, попрощались, и Клавдия принялась неспешно собираться.

М-да-а-а, восемь лет прошло с того инцидента между Марком и ею, когда он застукал ее целующейся с Николенькой.

Восемь! Ужас и кошмар. Была девочка двадцати двух юных лет, теперь вот уж девушка, можно сказать, пожившая, тридцати годов. К тому же еще и беременная.

И чего только не случилось за эти годы, и каких только жизненных ситуаций и историй они не прожили вместе.

С Марком Клавдия объездила почти всю страну. Это была его идея. Точнее, как: Клавдия в ультимативной форме настояла на том, что Марк ежегодно в обязательном порядке берет отпуск, чтобы не рисковать своим здоровьем и не провоцировать возможное повторение приступов головной боли.

Марк согласился, но выдвинул и ей встречные условия: в таком случае она будет везде его сопровождать.

— Ты как это себе представляешь? — удивилась Клавдия. — У тебя постоянно какие-то романы в разгаре, у меня тоже отношения, а мы будем вместе путешествовать?

— Не вижу ничего невозможного, — пожал плечами Марк. — Отдыхать за пределами страны мне, как бы так помягче сформулировать, настоятельно не рекомендовали компетентные люди, ну, это-то понятно.

Собственно, да, понятно, соглашалась Клавдия, — совершенно незачем стране рисковать учеными и специалистами такого уровня, достаточно того, что Светлова выпускают для участия в научных мероприятиях в других странах.

Но это совсем другой коленкор, и там совершенно иная история с безопасностью, охраной и устройством самих мероприятий. И совсем иное дело — частный отдых.

— Следовательно, отпуск я могу проводить либо на даче, желательно в Полянах, либо в путешествиях по стране. Ты свой отпуск к моему подгадываешь, а остальные участники как хотят: желают поехать с нами — милости просим, будем рады компании, не желают или не могут, мы и без них обойдемся, — и спросил: — Хочешь посмотреть страну? Например, Камчатку? Сахалин? Или Алтай, Белокуриху? Кабардино-Балкарию? Кавказ? Белое море? А? А я устрою все по высокому разряду.

167

— Ты бессовестный провокатор! — сетовала Клавдия, понимая, что, конечно же, согласится.

Как-то так получилось само собой, что ездили они в отпуска практически всегда вдвоем. Клавдия даже и не думала приглашать своих кавалеров, ей с Марком было так хорошо отдыхать и общаться, что какой-то мужчина рядом, ограничивавший бы это их общение и требовавший внимания к себе, был ну абсолютно лишним элементом. К тому же она на самом деле отдыхала, в полном понимании этого слова. А Марк пару раз все же ездил с девушками, ничего путного из этого не получилось — представление о проведении отпуска барышень кардинально не совпадало с его желаниями и планами.

Каждая поездка становилась для Клавдии сюрпризом, она никогда не знала, куда да и когда они поедут. Пользуясь своей уникальной памятью, Марк держал в голове данные всех ее документов: паспортов гражданского и заграничного, свидетельства о рождении, дипломов, полиса страхования и бесчисленных справок, без которых, как известно, человек никто, а также все пароли доступа к ее гаджетам и личным кабинетам и номера банковских карточек, и частенько Клавдия, вместо того чтобы ковыряться в папках и искать какую-то понадобившуюся вдруг справку или забыв код доступа, скажем, в «Госуслуги», звонила ему.

Марк всегда четко помнил все сроки годности необходимых ей документов и контролировал наличие у Клавы действительного загранпаспорта и шенгенской визы. И, обладая всей этой информацией, непринужденно, не заморачиваясь, Марк заказывал и бронировал билеты и номера в гостиницах на имя Клавдии на те сроки, которые были удобны ему, иногда предупреждая ее, а чаще просто ставя перед фактом за день-два до вылета.

Как известно, человек всегда терпит и выносит только то, что позволяет проделывать с собой другим людям, как бы он ни стенал и ни жаловался. И Клавдия отдавала себе отчет, что сама позволяет ему проделывать все это с ней и ее жизнью. Но как когда-то сказала бабушка Вера Михайловна: «Ты это терпишь, потому что тебе это нравится и тебе интересно с ним общаться».

А вот знаете, да. Это именно так. И не просто интересно, это...

Конечно, самоуверенность Марка, его манера все решать самому и не считаться с обстоятельствами ее жизни и работы, с ее занятостью и делами напрягали и невероятно усложняли жизнь Клавдии.

Каждый раз ей приходилось срочным порядком отпрашиваться с работы и как-то улаживать непростые моменты, потом отрабатывая безумные часы в выходные дни, однажды из-за такой вот поездки пришлось и вовсе уйти с работы, разругавшись в пух и прах с начальством. Правда, она об этом потом совершенно не жалела, потому что нашла куда как более интересную и престижную работу, но не в этом дело.

Сложно было с этим самоуправством Марка и его таранным типом движения: решил-сделал, факт. Но! Но Клавдия побывала в таких местах, до которых никогда бы ни за что не добралась бы сама, даже на Чукотке, в Анадыре и на границе с Америкой в Беринговом проливе на острове Ратманова в составе островов Диамида. Вообще полный восторг!

Каким-то образом Марку удалось получить разрешение властей и пограничников на такой их вояж. И это была настолько потрясающая поездка — на всю жизнь сохранилась память о ней.

Они там, на том острове Ратманова, поднялись на одну из самых высоких точек, откуда открывался фантастический вид на Берингов пролив — ветер, короткие зыбкие волны, чайки, практически неподвижно зависшие в воздухе. А они в своем привычном молчаливом созерцании необъяснимым образом поднялись до таких чувственных высот, что пережили пусть и краткий, но мощнейший момент благодати.

Ни с чем невозможно сравнить! Ощущение такое, словно они заново переродились и наполнились какой-то непостижимой энергией.

Вот так. И это только благодаря Марку и его возможностям.

А еще практически во всех столицах Европы и даже в Африке Клавдия побывала на разных форумах, конференциях, съездах ученых и математиков, в частности.

Ладно, не о географии сейчас.

И не все так уж сложно хотя бы потому, что виделись они по-прежнему редко, раз в месяц, иногда два раза — у каждого своя жизнь, своя работа и какие-то отношения с другими людьми. А в путешествие ездили раз или два в год, разбивая отпуск на две половины. Понятно, что и всяческие научные собрания разного уровня далеко не в два-три месяца происходят, а куда как пореже, да и не каждый раз она на них приезжала.

Были же еще и женщины Марка. М-да, тоже тема еще та.

Клавдия старалась пересекаться с ними как можно реже, хотя понятно, что неизбежно приходилось сталкиваться и общаться, Марк Глебович себя все так же тактом не утруждал, и если ему вдруг срочно нужна была Клавдия, звонил и просил:

— Приезжай.

Мог и поканючить, когда она отказывалась по каким-то причинам, но всегда добивался чего хотел. Она уж и спорить перестала — бесполезно: базу какую-нибудь теоретическую подведет о необходимости ее срочного приезда, рассуждениями достанет, но на своем настоит.

Легче приехать, чем выслушивать. Уж что есть, то есть. Но Клавдию вся его заумность и занудство, его прямолинейность, правдивость, доходящая порой до неприятных моментов с некоторыми людьми, его категорическое нежелание что-то тактично привирать и приукрашать, как ни странно, но совершенно не доставали, вот ни насколько — да пусть себе.

Зато она точно знала, что он всегда скажет только то, что думает на самом деле, и никогда не напряжет девушку комплиментом, начинающимся со вступления:

— Нет, ну в принципе...

Никакого сомнения, что он там себе думает, что затевает и какие мысли прокручивает у себя в голове в твой адрес, при этом дежурно улыбаясь. Клавдия была свободна от сомнений-рассуждений подобного рода — она всегда точно знала: что Марк думает, то и скажет. Прямым текстом. А уж как это воспримут окружающие, так это их проблемы. Клавдию, например, такая его манера изъясняться абсолютно устраивала.

Так вот насчет вызова любимой подруги в гости.

Она, значит, подруга боевая Клавдия, приезжает, а там — ать, барышня, про которую профессор Светлов забыл упомянуть, и дверку входную дамочка так оп-па распахнет и уставится вопросительно.

Сколько раз за эти годы Клавдии пришлось выслушать однотипные вопросы из разряда:

— Ты кто такая? Что тебе надо? — И совсем уж постоянное: — Ты с ним спишь? Вы любовники?

Высказанные в разных вариантах, в зависимости от степени образованности, интеллигентности, хамства и нахрапистости барышни.

Казусов случалось море. Клавдия даже стала записывать наиболее интересные и яркие, оформляя их в некое подобие небольших рассказов.

Просто посмеяться когда-нибудь, перечитывая, а может, куда-нибудь и пригодится.

Ну а как еще справляться со своей естественной ревностью, как не посмеяться над ней? Да и, кстати, повод-то для иронии и смеха дамы эти давали постоянно.

То девица открыла перед ней дверь, и Клава застыла, созерцая как произведение искусства эту красотулю — волосы разноцветные, с сине-зелеными прядями, ресницы-опахала, она их старалась не прикрывать резко, осторожненько так моргала, и губы — ребята, что это были за губы, мама до-ро-га-я! Даже помягче не сформулируешь — порнографические какие-то губы, приоткрытые постоянно.

Клавдия так и вплыла в дом, не ответив ни на один вопрос барышни, неотрывно глядя на нее обалдевшим взглядом. И дар речи обрела, только когда плюхнулась на диван рядом со Светловым, что-то, по обыкновению, быстро писавшим в записной книжке, сложившись пополам над журнальным столиком.

— Марк, это... — запнулась Клавдия.

Он оторвался от своих записей, посмотрел на Клавдию, быстренько клюнул ее поцелуйчиком в щеку, перевел взгляд на девицу и уведомил:

— Это Кристина, знакомься, она уже уходит. — И, посчитав свою миссию полностью выполненной, вернулся к вычислениям.

— Привет, — поздоровалась Кристина. — Марк сказал, что придет его друг, я думала, это мужик какой.

— Нет, не мужик, — выдавила из себя Клавдия, дивясь физическому феномену, при котором во время разговора губы у девушки совершенно не смыкались.

— Мне надо с тобой поговорить, — отвлекся от записей Марк, взглянув на завороженную Клаву. — Так, Крис, — распорядился он тут же, — все, пока. Нам надо с Клавой поговорить.

Девушка ушла, а Клава, не выдержав, спросила-таки, когда, закрыв за подружкой дверь, Марк вернулся в комнату:

— Что это было? Такая особенная девушка... — тщательно подбирая слова, заметила Клава и покрутила пальцами вокруг лица неопределенным жестом.

— М-да, — усмехнулся Марк и, как водится, выложил прямым текстом: — Губы у нее на самом деле спортивные, я бы сказал, да и в этом деле она дока. Но девушка вполне безобидная и смешная, веселит меня. Но это так, ничего серьезного.

«Ничего серьезного» как-то быстро исчезла из его жизни вместе со своими «спортивными» губами.

И пошла череда разных барышень. Были и умные, интересные, знающие себе цену, такие исчезали из жизни Марка практически сразу, уяснив, что этого мужика толком не ухватишь и в стойло не поставишь. Были карьеристки, расчетливые и продуманные, такие держались подольше, упирались, боролись за него, но в итоге сдавались и эти.

Были легкие, с добродушным характером и нехитрым устройством души, и трудные заумные интеллектуалки, случались и простоватые, без потуг на интеллигентность, молодые и в возрасте, хваткие и хитрые — разные.

Правда, никогда не случалось девиц новой, так сказать, формации — в симбиозе с соцсетями и в тяжелой форме бытового идиотизма, которых нынче дополна развелось — тут уж, извините, не к профессору Светлову, он когда отвлекается от своей математики, ему все-таки поговорить надо на доступном и понятном языке, желательно русском, несленговом.

Одна дама была просто шикарна.

Тогда, помнится, открыл сам Марк, провел Клавдию в комнату и представил женщину, сидевшую за столом с бокалом вина в руке.

Хороша была необыкновенно — ботокс, плавно перетекающий в силикон в декольте с панорамным видом, демонстрирующим полную пазуху те-тёх размера так пятого-шестого.

Клавдия засмотрелась. Красота!

Та дама Клавдию тогда умело так попыталась придавить морально, сразу же определив все ее болевые точки и виртуозно исполнив на них «минует» собственного сочинения. Умная была тетка, ничего не скажешь, с такой обоснованной претензией на исключительность.

Тогда, помнится, Клаву сильно проняло. А Марк, по обыкновению, ничего не понял из их разговора и противостояния. Хорошим психологом оказалась барышня-то с тетёхами.

Клава тогда еще, помнится, язвительно подумала про тетку, что чужие проблемы мы на раз расщелкиваем, выявляем и терапию проводим, а со своими комплексами исключительно «тюнингом» поверхностным боремся.

Но и даме той не помог весь ее профессионализм с тюнингованными щедрыми прелестями, как она ни старалась. А она, надо признать, старалась больше всех предыдущих женщин, вместе взятых, поняв и просчитав истинную ценность Марка и роскошь перспективы его дальнейшего продвижения — явно ведь далеко пойдет профессор. А ей хотелось пойти вместе с ним, вот и наметила сделать его своим мужем и боролась за него достаточно яростно.

А после расставания все пыталась пообщаться с Клавдией, добыла где-то ее телефон и названивала, поджидала у издательства, когда та шла на работу.

Но Клава не стала с ней общаться — зачем? Для чего?

Да ладно, бог с ними, с его бабами, как бывшими, так и нынешними! Что уж теперь.

У нее вон тоже романы всякие происходили. Ну как происходили — пунктирно, можно сказать, и весьма условно.

Клавдия как-то случайно подслушала разговор бабушки с дедом после одного из приездов Александра, уже числившегося в то время женихом Клавдии, на правах которого тот запросто приезжал к ним в Верхние Поляны всегда с уместными и недешевыми подарками, с букетами для дам, с шашлыками, эксклюзивным вином и кучей каких-то придумок.

— Что думаешь, Роберт? — спросила тихонько бабушка у деда.

Старики сидели вдвоем в плетеных креслах на террасе, укутав пледами ноги, смотрели на суетящуюся с устройством застолья на воздухе молодежь и тихонько беседовали. Клава несла тарелки, решив сократить путь и выйти сразу на поляну через главную террасу, а не через кухонную в обход дома, вот и услышала.

— Да что, Верунечка, — вздохнул дед, глядя на распоряжающегося Александра. — Всем хорош мужик. И характер серьезный, деловитый, и при деньгах, и со всем к ней уважением и любовью. Да и орел, ничего не скажешь.

— Понятно, — тяжело вздохнула Вера Михайловна, заранее соглашаясь с мужем.

— Вот именно, — кивнул дед, разделяя мнение жены по этому вопросу. — Далеко ему до масштабов Марка. Не сможет он отвоевать ее у него, не потянет. Хоть и мужик дельный, и по-своему хорош, и силен как человек и мужчина. Да только Клавонька у нас сама с характером, как сталь, и перебить ее привязанность к Марку вряд ли кто сможет.

— Разве что полюбит, — продолжила мысль мужа бабушка. — А этого не полюбила. — И вздохнула: — Ох, Робенька, я бы этого Марка нашего... Так бы и тюкнула, чтобы в мозгах просветлело.

— Уже тюкнули один раз, — напомнил Роберт Кириллович, — плохо закончилось.

А Клавдия, чтобы не выдавать себя, тихонько развернулась и ушла.

А может быть, у них и получилось бы что с Александром, кто знает, он ей сильно нравился. Сильно. И она как-то настраивалась на него, и ей приятны были его ухаживания, и Клавдия их с удовольствием принимала, и в интимных делах получилось у них здорово.

Но он потребовал расстаться с Марком. Жестко потребовал.

И Клава понимала, что это правильно и что не могло быть никак иначе по той простой причине,

что Александр настоящий мужчина, с сильным це-
лостным характером и правильными житейскими
устоями.

Какой может быть близкий мужчина-друг рядом с его женой? С самого начала было понятно,
что нет.

Вот и нет. Расстались. Оба с большим сожалением.

Год назад возник Володя.

Марк познакомился с ним на дне рождения
Клавдии. Она тогда отвела Светлова в сторонку
и строго-настрого предупредила не выступать и
мужчину ее не трогать никаким образом. Он пообещал и сдержал свое обещание. Хотя Клавдии,
да и всем остальным за столом, было совершенно
очевидно, что сдерживаться Марку дается ох как
нелегко. Извелся весь от каждого Володиного высказывания или тоста.

Ничего, потерпел.

Как и Володя, согласившийся терпеть присутствие Марка в жизни Клавдии, когда она растолковала ему про их глубокую и особую дружбу,
понятно, что без подробностей, касающихся исключительно их с Марком тайн.

Володя, Володя.

Когда они встретились с Марком вторично,
Клавдия упустила момент, не успев взять со Светлова никаких обещаний, и профессора понесло.

— Так вы, молодой человек, трудитесь менед-
жером? И что вы продаете? Ах, сантехнику... — с

неприкрытой издевкой произнес он. — А для это-го надо какое-то образование получить, чтобы этой сантехникой торговать успешно? Ах, вы топ-менеджер. То есть высшего звена участник. Изви-ните, я не понял. То есть то же самое, но другими объемами: не штучно унитазом, а, скажем, сотня-ми зараз или тыщами.

И так далее, так далее. Но Клавдия быстренько утащила светило науки в сторонку, наваляла ему моральных тумаков и выставила за порог — ез-жай, мол, обратно, в Москву, над студентами не-радивыми издеваться.

Две недели не разговаривала, на звонки и эсэмэски не отвечала. Пока он все же не прорвался через эту блокаду со своеобразным извинением абсолютно в духе Марка Светлова:

— С унитазами я, возможно, погорячился.

Максимум, что можно было от него ожидать в качестве извинения, и то, считай, великим до-стижением. И все — для него тема закрыта: изви-нился же, достаточно. Поэтому продолжал совсем другим, деловым тоном:

— Послезавтра на Нетребко билеты достали. Я за тобой заеду.

Так вот и прожили все эти годы.

А что теперь будет? Как сложится?

Клавдия печально вздохнула — как-нибудь обязательно будет, уляжется в какой-то новой ре-альности, устроится, жизнь-то продолжается — легко или тяжело, посмотрим, чего гадать.

Ладно. Хватит уже вспоминать до одури. И чего она так погрузилась в воспоминания! Вон даже толком не поспала, мысленно ругала себя Клавдия, обуваясь в прихожей.

Все. Пора делом заняться, еще тащиться в Переделкино это.

Она поднялась с недовольно скрипнувшей банкетки.

М-да, у них тут много чего скрипело, постанывало и вздыхало по-стариковски. В квартиру эту, в доме на Плющихе, в начале двадцатых годов въехал еще прадед Клавдии Кирилл Прохорович с женой, тремя сыновьями и всем своим скарбом, получив жилплощадь от нового правительства за особые заслуги и высокий чин.

Дед Клавы, Роберт, названный так в честь американского друга прадеда, коммуниста, родился нежданным «последышем», четвертым сыном, накануне войны. Старший его брат погиб на финской войне в тридцать девятом году, двое средних в первые же дни начавшейся Великой Отечественной ушли на фронт и тоже погибли. Остался только он, самый младший. Так и жили в этой квартире с дореволюционной антикварной мебелью, доставшейся от прадеда с прабабушкой. Ее, разумеется, берегли, реставрировали, когда находили или прикапливали для этого важного дела деньги, но она все равно скрипела, вспоминая былое, покашливала, жаловалась, но любила их всех и исправно служила.

С деньгами в семье Невских всегда было скромно, работали все, и дедуля с бабулей до последнего, сколько могли, пока уж совсем сил не стало. Пока папа был жив, он старался изо всех сил заработать, обеспечить семью, даже машину купил — «Форд», хоть и подержанный «фордик», зато настоящей, родной сборки. Тоже раритет.

А после папиной смерти как-то сразу тяжко стало, и они приняли решение сдать квартиру. Плакали всей семьей, прямо ходили и плакали несколько дней подряд — сначала один не удержится, а за ним все остальные. Вроде успокоятся, друг друга поуговаривают, ободрят: «Все, все, куда ж деваться, ничего», — и опять кто-то да пустит слезу. Но деваться и на самом деле было некуда — перевезли свой самый ценный антиквариат в Поляны, обустроились там как-то, благо дом капитальный, тоже от прадеда доставшийся, но уже по линии бабушки Веры. Так и жили несколько лет.

Три года назад Клавдия нежданно-негаданно вдруг начала прилично зарабатывать, и семья, посовещавшись, решила, что девочке надо жить в Москве, у нее там теперь много работы, она часто допоздна задерживается, и добираться оттуда к ее авторам — тем, что в Подмосковье, — проще, да и пора ей жить отдельно.

Но столкнулись с одной проблемой — необходимостью хотя бы косметического ремонта квартиры после жильцов. Марк помог, дал денег, и не на какой-то условный и легонький ремонт а-ля помыли-побелили, а на серьезный, добротный и качественный.

Когда все было готово, Клавдию перевезли туда вместе с раритетной мебелью. Вот и жалуются теперь «старички», поскрипывая, что нет им покоя.

— Да что такое?! — рассердилась Клавдия. — Что меня пробило-то, остановиться никак не могу! — И приказала себе: — Все, Клавдия Андреевна, хватит воспоминаний. Закончили.

Недовольно вздохнув, она быстро покидала в сумку косметичку, телефон и маленький зонтик, подхватила портфель с бумагами и поспешила на выход.

Клавдия запирала дверь, когда услышала, что кто-то неторопливо поднимается по лестнице у нее за спиной. Защелкнув второй, верхний, вечно немного заедавший замок, она повернулась на звук шагов, заранее улыбаясь, намереваясь поздороваться — жили тут все дружно, — и обескураженно уставилась на человека, которого увидела, распахнув глаза от удивления.

— У вас очень необычный цвет глаз, — сказала женщина. — Поразительного оттенка, такая насыщенная зелень, прямо малахит. Очень загадочно и необыкновенно. — И поздоровалась: — Здравствуйте, Клавдия.

— Здравствуйте, мадам Карно, — растерянно ответила Клава.

— Благодарю за longue me'moire («долгую память», — автоматически мысленно перевела Клавдия и только теперь сообразила, что они разговаривают на французском). За то, что вы меня помните.

Да? А вас можно забыть? Это как? Разве что посредством глубокой амнезии, вместе со всей своей остальной жизнью, к лешей бабушке.

Француженка Анжели Карно с какими-то туманными русскими корнями, доставшимися от бабушки, и якобы поэтому прекрасно владеющая русским языком, предпочитала по возможности все же общаться на французском, а Клавдия входила в число людей, которые могли предоставить ей такую возможность.

Мадам Карно была совершенно необыкновенной, потрясающей женщиной недосягаемого мирового уровня — изысканно-утонченной, ухоженной до каждой отдельной волосиночки в искусственно-простой, баснословно дорогой прическе, и если и делала она так называемый «тюнинг», то настолько филигранно-виртуозно, что сохранялась видимость «естественности». На вид ей было можно дать не более двадцати пяти лет.

Великолепная великосветская знаменитость, почтившая Россию своим присутствием лет эдак восемь назад. Она приезжала на пару-тройку месяцев, приняв несколько предложений кого-нибудь из верхов, чтобы побывать на самых изысканных мероприятиях наивысшего уровня, посетить балет и оперу, встретиться публично с самыми значимыми людьми страны, изредка благосклонно соглашалась дать интервью знаковым ведущим, во время которых она рассказывала в основном про других известных людей, с кем ей посчастливилось дружить, гениально уходя от конкретных вопросов о себе.

Года четыре назад Анжели решила написать книгу и отчего-то издать ее непременно в России. Клавдия, к тому моменту трудившаяся в ведущем издательстве страны, была назначена в группу редакторов, работавших над книгой мадам Карно как носитель языка.

Хотя почему мадам Карно Европа не подошла как литературный плацдарм — непонятно, но дело ваше, как говорится, нам же лучше. Книга вышла на русском языке под названием «Жизнь не по-французски» и имела довольно большой успех. Мадам, судя по всему, это обстоятельство не сильно-то и волновало, она отбыла во Францию, перевела там книгу на французский, там сие литературное произведение также не осталось без внимания и долгое время держалось на верхних позициях в рейтинге лучших продаж. А мадам Карно решила написать еще одну книгу, что-то вроде путеводителя по Франции для русской аудитории. Очень здоровская книга получилась. Прямо очень.

И популярностью пользуется неизменной вот уже второй год.

И что, у Клавдии имелись варианты не узнать Анжели Карно?

Другое дело и вопрос: но что столь знаменитая, великосветская, утонченная, недосягаемая женщина делает в подъезде их дома? Ведь ей, за отсутствием лифта, пришлось подняться пешком на высокий третий этаж, и вот так запросто общается с Клавдией, восхищаясь цветом ее глаз?

А мадам Карно, словно угадав немой вопрос девушки, сказала:

— Мадемуазель Невская, мне необходимо с вами переговорить по одному важному вопросу.

— Со мной? — вконец растерялась Клавдия.

— Совершенно верно, — подтвердила знаменитость.

— Но... — растерянно произнесла мадемуазель Невская и повела рукой в сторону запертой двери, — я не могу вас принять, у меня назначена другая встреча. — И выдохнула: — Простите.

— Я понимаю, — великосветски улыбнулась уголками губ мадам Карно, — у вас договоренность с госпожой Карелиной. Уж простите великодушно мое любопытство, но я навела о вас справки в издательстве и знаю, что вы сейчас работаете над ее мемуарами. Но, надеюсь, госпожа Карелина простит вам небольшую задержку, если я стану ее причиной.

— Думаю, что простит, — как-то моментально пришла в себя и успокоилась Клава.

А что, собственно, трепетать? Ну да, обалденная женщина откуда-то оттуда, из высших сфер, и что? А и ничего. Ну сфер, так и бог бы с ними.

— В таком случае я приглашаю вас в кафе на чашку кофе. Тут у вас рядом с домом вполне приличное заведение.

Рядом с их домом приличных заведений пруд пруди.

Внизу на площадке у парадного ждал охранник мадам Карно, совершенно не шаблонный типаж: никакого черного костюма и бритой головы — крепкий, жилистый, движения скупые, плавные, светлые свободные брюки на ремне, рубашка-поло и льняной летний пиджак сверху, дорогая прическа и незапоминающаяся внешность. Он распахнул перед дамами дверь, а после того, как они вышли из подъезда, проследовал впереди и чуть сбоку от француженки. И в кафе держался так, чтобы прикрывать Анжели от взглядов посетителей, а когда женщины расположились за столиком, так и вовсе встал за спиной у мадам.

Такой добросовестный правильный охранник.

От кофе Клавдия отказалась, заказав себе свежевыжатый сок. Понятное дело, что мадам Карно сразу же узнали, как ни старался прикрыть ее сопровождающий, и кто-то даже сунулся было за автографом и попытался снять знаменитость на смартфон, но охранник как-то так встал, прикрывая хозяйку, что у граждан пропало всякое желание подходить. Столик, который они выбрали, стоял в небольшом стеклянном эркере, а мадам села спиной к залу, лицом к улице, охранник же так и остался стоять, закрыв их своей широкой спиной.

Заказ принесли почти мгновенно. Дамы отпили каждая свой напиток, и Анжели Карно, медленно поставив чашечку на блюдце, посмотрела в глаза Клавдии и, наконец, спросила:

— Скажите, Клавдия, вы знакомы с неким господином Лощинским Эммануилом Леонидовичем?

— М-м-да. — Подумав пару секунд, Клава поняла, о ком идет речь, но все же переспросила: — Адвокатом?

— Совершенно верно, — чуть кивнула мадам. — Насколько хорошо вы с ним знакомы?

— Ни насколько, — удивилась вопросу Клавдия. — Видела несколько раз и была представлена, не более. Господин Лощинский является адвокатом одного из моих мемуаристов, и когда мы работали с Константином Власовичем, Лощинский приезжал к нему по их приватным юридическим делам. Там нас и представили друг другу. И там же мы виделись мельком еще пару раз за время нашей работы с Константином Власовичем.

— И больше вы с ним нигде не пересекались и не встречались?

— Так-так-так, — задумалась Клавдия, припоминая. — Мы вот недавно совсем виделись. Мельком. — Она потерла лоб, вспоминая, и мимолетно подумала, что надо просто позвонить Марку и спросить: он всегда все про нее помнит, и тут же отмела эту глупую мысль. — Да, — улыбнулась она, мысленно похвалив себя. — Точно, вспомнила. Позавчера, во вторник, я ездила на встречу с одним из фигурантов мемуаров Эльвиры Станиславовны, на которого она ссылается, так сказать, взять свидетельские показания по теме, чтобы он подтвердил или опроверг ее рассказ. Очень милый и интересный человек. — И она улыбнулась, представив себе того достаточно именитого старичка. — Угощал меня какими-то карельскими калитками, пирожками такими открытыми, которые сам печет, он ведь увлекается кулинарией. — Спохватилась, что ее куда-то не туда понесло: — Вот там я и встретила Лощинского. Дело в том, что Георгий Васильевич тоже является его клиентом, и у них были какие-то дела в тот момент, когда я приехала. Но он быстро собрался и ушел, отказавшись от чая и калиток. Вот и все.

— Скажите, Клавдия, передавал ли вам господин Лощинский какие-нибудь документы? — очень внимательно всматриваясь ей в лицо, спросила мадам Карно.

— Нет, — сразу ответила девушка. — Я к нему ни за какими документами никогда не обращалась. Да мы и не разговаривали, в общем-то, ни разу, так, здоровались, и все.

Мадам Карно перестала сверлить жестким взглядом лицо Клавдии и посмотрела в окно, о чем-то сосредоточенно думая.

— Хорошо, — вздохнула она и снова посмотрела на Клавдию, — мне придется спросить прямо: попадали ли вам в руки каким-нибудь образом документы и бумаги, имеющие непосредственное отношение ко мне?

— Нет, — в недоумении уставилась на мадам. — Совершенно определенно: нет.

Анжели Карно снова погрузилась в размышления. Клава ждала, чувствуя, что происходит что-то очень значимое, странное и, скорее всего, не несущее ничего хорошего лично для нее. Почему-то ей так подумалось и стало тревожно, вынуждая нервничать.

— До меня дошла не подлежащая сомнениям, достоверная информация о том, — заговорила Анжели Карно холодным деловым тоном, — что в руки господина Лощинского попали некие документы, касающиеся моей персоны. Благодаря моим добрым знакомым в неких силовых структурах о появлении этих документов мне стало известно сразу же в тот самый момент, когда они оказались у адвоката Лощинского. Мои друзья, — тут она буквально на полсекунды запнулась перед словом «друзья», — наблюдали за Эдуардом Леонидовичем с момента передачи ему документов третьим лицом до момента его встречи с вашим свидетелем на его даче. Лощинский не имел возможности спрятать или передать кому-либо эти документы с момента получения до момента приезда на дачу к своему клиенту, где побывали и вы. Но мы не обнаружили бумаг ни у него, ни у хозяина дачи. Милый пожилой месье позволил моим помощникам обыскать весь его дом и прилегающую территорию и даже лично активно помогал в тщательных поисках. Но бумаги не нашлись. — Она посмотрела Клаве в глаза: — Остаетесь вы, Клавдия.

— А что говорит сам господин Лощинский? — спросила она, отчего-то вдруг испугавшись по-настоящему.

Так испугавшись, что внутри у нее все похолодело и шевельнулся малыш. Клавдия положила руку на живот, прикрывая его и успокаивая.

— Господин Лощинский... — улыбнулась ей Анжели холодноватой, светской улыбкой, — успел сказать, что даже толком не просмотрел бумаги, и в этот момент, когда наше сотрудничество только-только началось, с Эммануилом Леонидовичем случился сердечный приступ. И теперь он лежит в больнице в бессознательном состоянии.

— Это ваши друзья так... — спросила Клавдия, прежде чем сообразила, что делает.

Как там любит повторять Марк: «Логика дана человеку не только для того, чтобы объяснять свои поступки после их совершения, а в основном для того, чтобы думать».

Только думать у нее сейчас не очень-то получилось...

Анжели Карно посмотрела на нее с легкой укоризной.

— М-да, — согласилась с ней Клавдия, отводя взгляд в сторону, — не надо было это спрашивать...

— Это не то, что вы подумали, — успокоила ее с легкой ироничной улыбкой мадам. — У господина Лощинского на самом деле случился сердечный приступ. Но вернемся к предмету нашей беседы. Я верю, что вы не видели эти документы, Клавдия, и не держали их в руках. Но каким-то образом они исчезли, и вы единственный человек в этой цепочке, у кого они могут оказаться. Я не знаю, как они к вам попали или попадут, может, господин адвокат придумал какой-то оригинальный ход, а мы его просмотрели, но мы будем продолжать искать. А вы... — задумчиво посмотрела на девушку француженка, — давайте поступим с вами следующим образом...

Нет-нет, ни следующим, ни каким иным образом Клавдия категорически не хотела и совершенно не желала иметь какие-то странные и темные дела с мадам Карно и напряглась, снова положив руку на свой чуть выпиравший животик.

— ...Вы должны дать мне железное обещание, что, если обнаружите эти бумаги, немедленно передадите их мне. — И спросила мягким, почти нежным тоном: — Вы понимаете меня, Клавдия?

Она понимала, она все правильно понимала.

— Да, я понимаю и даю. Обещание даю.

— Вот и хорошо, — вздохнула мадам Карно и, открыв свою умопомрачительной цены и дизайна сумочку, вынула оттуда серебряную визитницу, украшенную замысловатым вензелем, открыла ее с легоньким щелчком, достала картонку визитки и протянула Клавдии. — Это мои контакты. Сзади написан телефон, по которому можно звонить в любое время суток. В любое. Если вы что-то вспомните, узнаете или найдете документы — звоните сразу.

И защелкнула серебряную красоту, вернула ее в сумочку и предложила:

— Мой водитель может подвезти вас в Переделкино.

— Нет-нет, — испугалась Клава, — благодарю, но на метро и электричке гораздо быстрей добираться.

— Да, трафик в Москве сложный, — перейдя на тон легкой светской болтовни, чуть улыбнулась ей Анжели Карно, отпуская на свободу.

Пока отпуская.

То, что документов у Клавдии Невской нет и она их в руках не держала и знать про них ничего не знает, было совершенно очевидно. Анжели давно владела искусством профайлинга и была серьезным физиономистом, распознавая безошибочно ложь, уклончивость и любую эмоцию человека, прекрасно определяя его мотивы, поведение и предугадывая поступки.

Эта девочка понятия не имела ни о каких документах и очень искренне удивилась появлению великолепной мадам Карно у дверей ее квартиры, даже оторопела от неожиданности — нет никаких сомнений в ее непричастности.

Анжели улыбнулась, удерживая перед мысленным взглядом лицо Клавдии. У этой девочки железный характер при всей ее внешней обманчивой хрупкости. Очень интересная, утонченная девушка, руки необыкновенно выразительные, голос такой... вкусный голос, чуточку шоколадный, но не до приторности, и глаза эти поразительные, надо же, малахитовые прямо.

Хорошая девочка, и язык очень правильный, чистый, не загрязненный сленговым мусором и американизмами, грамотный, явно кто-то в семье лингвист, и воспитывали девочку на чистейшем русском языке, да и сама она филолог.

И определенно беременна, все непроизвольно прикрывала животик и поглаживала его, успокаивая малыша.

Ах, как жаль, что она попала во всю эту историю, как жаль. Не хотелось бы...

Но как пойдет. Как пойдет. Посмотрим.

Естественно, что всю дорогу до Переделкино Клавдия думала только об этой неожиданной встрече и странном разговоре с мадам Карно.

194

Если честно, Клавдия труханула. Не так, чтобы прямо терять лицо и достоинство и трястись, но все же, все же...

При всей светскости Анжели Карно, ее милой, дружелюбной и обманчиво-открытой улыбке, Клавдия всем своим нутром чувствовала исходящую от мадам опасность.

Раньше бы Клавдия с нетерпеливым любопытством и радостным азартом полезла бы в это загадочное дело, чтобы попробовать себя «в сыске», это же было одним из ее дарований, открывшимся в процессе работы с мемуаристами — она умела прекрасно добывать информацию и работать с ней, а тут такое — загадка, красивая и опасная.

Но сейчас Клавдия была целиком сосредоточена на своем малыше и не то что рисковать не станет, а приложит все возможные усилия, чтобы оградить маленького от неприятностей и возможных напастей.

К генералу, что ли, обратиться, подумалось ей. Он и помочь сможет, если что, и уберечь. Или сразу к Василию?

Да, решила Клавдия, если она почувствует, что ей грозит что-то по-настоящему серьезное, она сразу же попросит помощи у Александра Ивановича или у Василия.

К Александру Ивановичу Знаменцеву Клавдия относилась как к двоюродному дедушке — то есть хоть и далекая родня, но любимая и такая же родная.

У них в Верхних Полянах было несколько участков, давно стоявших без хозяйского пригляда, хотя поселок и считался в какой-то мере престижным — природа тут уж больно хороша, прямо какие-то экологически счастливые места, и приобрести участок или дом было проблематично. Но имелось три дома, которые давно не посещали хозяева, с запущенными, заросшими бурьяном и сорняками участками.

Один из таких домов, с самым большим участком, куда вклинивался даже кусок леса, обнесенный забором, добротный, капитальный — первый этаж каменный, а второй — деревянный. Все веранды-террасы тоже деревянные.

Но как любое брошенное жилище, этот дом, быстро ветшавший без присмотра, казался Клавдии, рассматривавшей его порой из-за забора во время прогулок, совсем грустным, сродни еще крепкому, но уже незаметно увядающему грибу.

И вдруг в какой-то день все переменилось. Ворота на участок распахнулись, и понаехало всяких строительных машин и набилось горластых простецких мужиков-строителей с деловитым бригадиром во главе.

— Все, — сетовала соседка по участку, жалуясь бабушке Вере, — не будет больше отдыха и тишины. Загадят все окрест строительным мусором, испоганят бетоном. Сплошная беда.

Но беды не случилось, а ровно наоборот — строители почему-то занимались весь световой день своим непосредственным делом — то есть перестраивали дом, аккуратно, качественно, без пьяных валанданий по ночам, без криков и дебоша, а садовые бригады делали ландшафтный дизайн.

Буквально через четыре месяца, аккурат к первому сентября, дом блистал улучшениями-обновлениями от крыши до малого черного крылечка, дорожки хрустели розовой мраморной крошкой, на участке зеленела трава, кусты были подстрижены — словом, все преобразилось.

Все ближайшие по двум улицам соседи, в том числе и Невские, ходили, смотрели, «совали носы», расспрашивали о чем-то строителей, любопытствовали, одним словом.

А на следующий день поселился в доме новый хозяин.

Неугомонный, активный Роберт Кириллович снарядился сам и жену уговорил на знакомство — нагладился, напричипурился. Вера Михайловна от мужа не отставала: обрядилась в торжественное платье и украшения надела. Клавдия испекла свой фирменный пирог с тыквой, каперсами и зеленью, вкусноты необыкновенной, и старшие Невские, чинно и со значением, пошли знакомиться и представляться новому соседу.

И пропали.

Час нету, два, три, уж ко сну дело подходит, а их все нет. Приходят — довольные, возбужденные, раскрасневшиеся.

— Наливочкой хозяин потчевал, — с удовольствием докладывал Роберт Кириллович, — собственного изготовления, хорошо угощал. — И поделился впечатлением: — Человек, у-у-ух... человечище.

Человек «у-у-ух» оказался отставным генералом — на минуточку, внешней разведки! — Александром Ивановичем Знаменцевым — человечищем, вот точное определение дал дед.

С Робертом Кирилловичем они тут же стали лучшими друзьями на почве обоюдной любви к шахматному искусству, проникнувшись глубоким почтением и уважением друг к другу, да и в жизненном укладе, убеждениях и характерах было у них много общего.

Оба коренные москвичи, да еще и ровесники, одногодки — в детстве пережили войну, послевоенный голод и разруху, матери надрывались на работе, отцы — у кого репрессирован, у кого — погиб, и они сдружились глубоко, по-настоящему.

У генерала из родных только сын и его семья, которым он и оставил квартиру и дом в Подмосковье, а у Невских, считай, одни женщины, кроме деда. Сын Александра Ивановича в дипломатическом корпусе служит, внуки за границей живут, если раз в год кто навестит, то и ладно, то и радость, а так один и один, лишь домработница, да еще пара приходящих помощников.

Так что негласно взяли Невские генерала под семейный пригляд — соседи они же, считай, почти родственники.

Клавдия слушала Александра Ивановича, раскрыв рот, когда он, бывало, что-то принимался рассказывать из своей богатой событиями жизни, настолько ей было интересно с ним общаться и разговаривать — вот так слушала, слушала, и в один знаковый день ее внезапно осенило:

— Александр Иванович, вам надо обязательно, просто категорически обязательно написать и издать книгу своих воспоминаний!

И от избытка чувств, захваченная внезапной мощной идеей, аж ручки сложила замочком, к груди прижала, до слезы прямо ее проняло.

— Я не столь героичен, Клавонька, — посмеялся ее энтузиазму генерал.

— Вы героичны, поверьте мне, Александр Иванович, — настаивала Клава, — вы даже больше чем героичны!

— Клавочка, — улыбался он, пытаясь отговорить девочку от эдакой заковыристой затеи. — Большинство эпизодов моей жизни находятся под грифом «совершенно секретно» и еще долгие годы будут под ним находиться.

— Да и наплевать! — горячилась Клавдия, убеждая его. — Уверена, что в вашей жизни захватывающих эпизодов и без этого грифа более чем предостаточно. Вот вы их и опишите. А еще интересных людей, с которыми приходилось общаться, встречи с ними! Это ж какой материал, какая история!

— Детка, я ж не писатель, — отнекивался Александр Иванович, все слабее сопротивляясь, давая трещину в обороне под горячим нажимом девушки.

— Я вам помогу! — заверила Клавдия.

— Иногда, Клавдия, — он посмотрел ей в глаза каким-то жестким взглядом, — правда бывает не нужна и даже весьма опасна, и уж точно не такой, чтобы тебе понравиться.

— Ничего, — приняла Клава и этот аргумент, — я понимаю, но такую правду мы и писать не станем. Зачем она нам?

И Александр Иванович согласился серьезно подумать над ее предложением и посоветоваться с товарищами, позволив себя почти уговорить. Наверное, потому что был полон сил, и ему было скучно, и куда-то надо было применить свой интеллект и нерастраченные силы, хоть он и работал еще немного — преподавал где-то там в засекреченных институтах и на курсах.

Несколько дней Знаменцев созванивался с товарищами и совещался по поводу поступившей, можно сказать, снизу инициативы и таки решился на авантюру, предложенную Клавдией.

Правда, при соблюдении нескольких обязательных условий, как то: первое — Клавдия берет на себя всю литературно-художественную часть работы, он только диктует ей воспоминания и предоставляет имеющиеся у него документы, второе — она обязательным порядком встречается с представителем службы безопасности, он ее инструктирует и девушка подписывает все необходимые документы о неразглашении и соблюдении тайны. Контора назначит человека, который станет на время их работы куратором от федеральной службы. Он будет обязан проверять их опус на предмет неразглашения закрытой информации, а также согласовывать встречи Клавдии с фигурантами, упомянутыми в литературном произведении, и непосредственную работу с документами и архивом.

Но это не условие, а скорее обязательный порядок работы подобного рода с человеком такого уровня и с такой биографией, и с самого начала подразумевалось, что без тщательной проверки компетентными органами и без визирования рукописи книга в свет не выйдет.

А вот третий пункт условий вызвал между Клавдией и генералом затянувшийся спор.

— Поскольку ты пишешь эту книгу, а я лишь радостно предаюсь воспоминаниям, то гонорар за нее получишь ты, Клавдия.

И понеслось. Она ему: «С чего бы это я получу, и так не положено, поскольку работаю за зарплату», — а он ей: «Я так решил, или никакой книги не будет».

Как не будет? Клавдия-то уже настроилась и завелась! Будет, еще как будет!

В общем, Александр Иванович, не напрягаясь, влегкую сделал Клавдию на счет раз — профессионал.

Клавдия, до этого момента работавшая ответственным редактором, пришла с идеей мемуаров к своему непосредственному начальству в сопровождении того самого куратора — кстати, умнейшего человека и весьма интересного мужчины лет сорока, настоявшего на том, чтобы она называла его Василием.

Их с Василием выслушали и тут же отправили к еще более высокому начальству, на уровне которого и было принято решение — мемуарам быть! А Клавдию перевели на должность «записчика», пожелали творческих успехов и придали ускорения, пообещав возможную премию, если все удачно получится с ее идеей.

Ей было необычайно интересно осваивать новое дело, слушать Александра Ивановича, работать в архивах с документами, встречаться с людьми, участвовавшими в его воспоминаниях. Пришлось многому учиться прямо по ходу работы, например, добывать информацию, находить нужные справки, правильно выстраивать и задавать вопросы — оказалось, что от того, насколько точно ты сформулировал вопрос, зависит качество добытой тобой информации.

Ей еще и Марк сильно помог тогда, просто жестко натаскав правильно задавать себе вопросы и ставить четкую задачу, расставлять их по приоритетам, составлять алгоритм, выстраивать логическую цепочку событий, подтягивать «второстепенные, так называемые динамические переменные», как он их называл, то есть людей и косвенные источники информации, дела, имеющие отношение к основному факту, ведь любое событие определяет возникновение следующего, а тот, в свою очередь, влияет на последующие, которые и необходимо рассматривать.

Интересно, между прочим, было учиться у Марка, Клавдия тогда осознала в полной мере и поняла, насколько он талантливый, сильный и неординарный преподаватель.

Клавдия нырнула в эту работу затаив дыхание и так, погрузившись с головой, и провела ее до последней точки на последней странице и только тогда вынырнула и выдохнула восхищенно.

Но Александр Иванович — это же мощнейшая личность! И, разумеется, он владел высшим пилотажем во всем, что касается психологии человека и его поведенческих мотиваций: физиономист великий и психолог гениальный — Клавдию он «расколол» в первый же день работы, она и заметить не успела, как уже рассказывала ему про свою вечную боль и неосуществленную любовь — Марка Светлова.

Так и работали над книгой — Знаменцев все подшучивал над своим нежданным «писательством» и тягой к литературной известности:

— Клавочка, а ты в курсе, что чем дальше от источника событий, тем красочней врут слухи?

— Но мы же будем полагаться на вашу уникальную память, Александр Иванович, — с серьезным лицом отвечала ему Клава и хитро усмехалась, — ну и слухов подпустим, если понадобится, а как же.

Боже! Как же здорово им работалось! Они частенько хохотали, спровоцированные Александром Ивановичем, обладающим великолепным острым чувством юмора и самоиронии. Он был потрясающий, виртуозный рассказчик, и Клавдия порой, слушая, как он вспоминает какой-то красочный эпизод своей биографии, забывала все напрочь — и писать, и делать отметки — и, чуть ли не открыв рот, зачаровывалась, буквально погружаясь в его рассказ.

А иногда работала автоматически, стараясь не выпасть из самого рассказа, и генерал, бывало, подшучивая над ней, произносил какую-нибудь известную цитату, приписав ее своему авторству.

— Ой, — терялась тут же Клавдия, — Александр Иванович...

— А ты внимательней, внимательней, — смеялся он, — я ж не Ираклий Андронников, чтобы слушать меня как чтеца сценического.

— Да, — кивала Клавдия и уверяла с твердой убежденностью: — Вы не Андронников, вы лучше. Но про цитату...

И он с самым серьезным лицом растолковывал барышне:

— А ты разве не знала, Клавдия, что яркая, хорошая шутка не стареет, а меняет автора? Причем всегда. И в этом нет ничего такого...

— Ну-у-у, — смущалась Клавдия, мучаясь, как же объяснить, что не может внести чужую цитату в текст от его лица...

И генерал, глядя, как та отводит глаза и мается стеснением, не выдерживал, запрокидывал голову назад и принимался хохотать от души, ну а Клава, поняв, что он очередной раз «развел ее» за излишнюю восторженность в его адрес и чрезмерное усердие, присоединялась к нему, осознавая, как тут блеяла овцой, и вот они уж вдвоем хохотали до слез.

Так и работали: Клавдия пишет, пишет, генерал диктует, диктует, вроде все в работе, и неожиданно в какой-то момент она обнаруживает, что они разговаривают уже о ее делах и жизни:

— Что, не дается тебе переубедить твоего Марка? — спрашивал Александр Иванович, по-отечески сочувствуя ей.

— Как говорят китайцы, — вздыхала Клавдия, — «сложно пожать руку, сжатую в кулак».

— Да уж, это верно, — соглашался он и вздыхал, сопереживая: — Как известно, тайная любовь всегда сильнее явной, что ни говори. Если это, конечно, любовь, а не желание владеть человеком.

— Марком невозможно владеть, он уже захвачен своим талантом, с ним можно только идти рядом, и если повезет, то взявшись за руки, — грустно усмехалась Клавдия.

— А на других кавалеров ты не пыталась обратить свое внимание? Ты же у нас вон какая замечательная девушка, — улыбался Александр Иванович своей особой мудрой улыбкой.

— Отчего же, очень даже пыталась, только... — разводила она руками жестом смиренного бессилия.

— Я понял, — кивал Александр Иванович, — как говорил Черчилль: «Мне много не надо, достаточно самого лучшего».

— Как-то так, — вновь вздыхала Клавдия и признавалась: — Нет, я пробую, не зацикливаюсь на Марке, встречаюсь иногда с интересными парнями и даже романы завожу, только все это ерунда на самом деле. Нет, я нисколько не страдаю, да и «рай и счастье» только с ним мне не «блазнится». Просто Марк — это Марк, трудный ужасно, заумный педант и полный пофигист в одном комплекте, такта ноль, привирать и держать в голове, о чем соврал, ему лень и напряжно, засоряет разум, как он говорит, поэтому он прямым текстом говорит правду, а умение выстраивать какие-то личные отношения — это вообще история про другого, не про него.

— Но ты его любишь, — понимающе улыбался ей Александр Иванович

— Да, — легко призналась Клавдия. — Как говорится, незаменимых нет, есть неповторимые. А у меня такой вот неповторимый «драгоценный мой, единственный друг». — И вздохнула. — Так и тянется эта история.

— Ничего, — подбодрил ее Александр Иванович, обнял и пошептал на ухо: — Ведь, как известно, чем темнее ночь — тем ярче звезды. Все у вас с твоим Марком переменится, вот увидишь.

Наверняка что-то да изменится, только вопрос: как?

Может, так переменится, что и ну его, это изменение.

Но рано или поздно любое дело неизбежно заканчивается, так и их сотрудничество с Александром Ивановичем подошло к концу. И Клаве казалось, что несправедливо быстро, настолько ее увлекло это дело.

И, процитировав надпись из американского салуна времен Дикого Запада: «Не стреляйте в пианиста, он играет как умеет!» — Клавдия вручила генералу макет книги.

И ведь получилась! И еще как получилась!

Настоящий бестселлер, мемуары побили все рейтинги продаж.

Генерала Знаменцева принялись донимать СМИ, записывать интервью за интервью, издательство предложило ему рекламные поездки по крупным городам — одним словом, книга имела настоящий успех.

А вскоре к Клавдии обратились руководители того самого известного ведомства через бывшего куратора Василия с предложением поработать в столь же тесном сотрудничестве с еще одним отставным сотрудником их конторы, не менее легендарной личностью. И, встретившись с кандидатом в авторы, пообщавшись и посовещавшись с Александром Ивановичем, Клава согласилась.

Вновь мемуары получились необычайно захватывающими и имели не менее громкий успех. Начальство ликовало, напирало на необходимость продолжать работу и показало ей списки желающих оформить подобным образом воспоминания своей красочной жизни.

— Так, и что это? — удивилась Клавдия, просматривая список известных личностей, и даже пыталась шутить: — Представленные к правительственным наградам или заявки на захоронение на Ваганьковском кладбище?

— Нет, Клавдия. — Начальник ее веселья не разделял. — Это список тех знаменитых личностей, которые изъявили желание, чтобы ты занялась их мемуарами.

— О как, — оценила звездный масштаб желающих девушка.

— Ну, ты не грузись, это я тебе показал для того, чтобы ты понимала, каким спросом пользуется твоя работа, — успокоил он и сообщил: —

Я уже выбрал, с кем ты будешь работать над следующей книгой. — И назвал громкую фамилию известного культурного деятеля.

Клавдия порассматривала еще немного списки, вздохнула, осторожненько положила на стол листок с именами знаменитых граждан страны и скромненько ответила:

— Нет.

— Что нет? — обалдел начальник.

— Я не буду работать с этим человеком.

— Что значит не буду? — в полном недоумении уставился на нее начальник. — Это твоя работа, тебе дали задание, так что никаких «не буду». Я дал распоряжение, с кандидатом все оговорено.

— Это не моя работа, — напомнила Клавдия. — Я предложила работать с мемуарами только Александра Ивановича и только потому, что очень хорошо его знаю и он мне почти родственник, да и вторые мемуары мы писали с человеком, которого порекомендовал мне Знаменцев. А так я обычный редактор.

— Так это ты раньше была обычный редактор! — взбодрился начальник, решив, что девочка просто чего-то недопоняла. — А сейчас ты, Клавдия, наша гордость, звезда. У тебя прекрасно получились две книги. Продажи смотрела? То-то. Теперь будешь специализироваться записчиком мемуаров. План мы составили на год, в очередь желающих выстроили, помогать и поддерживать будем во всем, так что вперед.

— Нет, — твердо повторила Клавдия. — Вы меня не поняли. Я не хочу больше заниматься мемуарами, тем более с этим человеком.

— Так, действительно не понял, — даже как-то растерялся начальник.

— Мне этот человек не нравится и никогда не нравился, и никакой работы у нас с ним не получится.

Клавдия стояла на своем — не хочу больше и не буду, начальство настаивало, возмущалось и грозило. Клавдия говорила: «Тогда увольняйте!» Начальство принималось уговаривать, она отвечала: «Да не хочу я с этим козлом работать и не буду, и вообще с меня хватит».

Закончилось тем, что начальство — на то оно и начальство — укатало-таки взбрыкнувшую было подчиненную, но на ее условиях.

Первое, что потребовала Клава, — работать она будет исключительно с тем человеком, которого выберет сама, и только после предварительной встречи с кандидатом, разговора и пробных записей.

Второе — никакой сплошной «толерантности за ваши деньги» и «опускания», кого закажут, не будет категорически. Третье — никаких «мужественных» разоблачений тех, кто уже не опасен, потому что почил с миром или уже просто не имеет никакого влияния и связей, тоже не будет. И четвертое — проверять она будет любую информацию досконально и подробно.

Ну в этом издательство было заинтересовано не меньше ее самой и всячески поддерживало Клавдию.

Все, договорились. И пошло новое дело у Клавдии Невской, и пока это было ее основной работой.

Нет, точно с ней что-то странное происходит! Ну нельзя же второй день подряд вертеть в голове сплошные воспоминания! Она вообще-то думала о том, как себя обезопасить от мадам Карно, а вместо дельного решения опять погрузилась в прошлое, как старушка какая, вздыхающая об ушедшей молодости и том залетном молодце.

Надо с этим завязывать.

— Почему вы позволяете себе опаздывать? — с порога наехала на нее Эльвира Станиславовна, находящаяся в крайней степени раздражительности, отчего, видимо, и пошла открывать дверь сама.

— Извините великодушно, — тоном рапортующего солдата отчеканила Клавдия, — была насильственно задержана гражданкой иностранного государства мадам Анжели Карно.

— Зачем? — спросила старуха прокурорским тоном, посверлив девушку взглядом.

— По ее личным делам, — рапортовала, дурачась, Клавдия и произнесла нарочито просительно: — В дом-то пустите? Чайку бы с дороги.

— Входите, — отступив в сторону, пропустила ее хозяйка, захлопнула за ней дверь и величественно поплыла впереди Клавдии в гостиную, назидательно поучая: — В вашем положении, барышня, не чаи надо пустые гонять, а обязательным порядком необходимо хорошо питаться.

— В каком положении? — переспросила Клавдия.

Ну так, на всякий случай.

— Неужели вы думаете, Клавдия, что я могу не определить, что женщина находится в положении? Я давно поняла, что вы ждете ребенка.

— Жду, — подтвердила Клава и поинтересовалась: — И что, это может как-то повлиять на нашу работу?

— Рассчитываю на то, что мы закончим мемуары до того, как вам станет трудно ко мне ездить.

— А уж как я на это рассчитываю, — поддержала ее Клава.

— Садитесь, — широким жестом указала на накрытый к чаю стол хозяйка. — Будет вам и чай, и правильное питание. Люся вон расстаралась, всякие десерты творожные приготовила и закуски.

— Вот спасибо-то, — все дурачилась Клавдия.

Сели за стол, Люся появилась откуда-то сбоку как-то незаметно и неслышно, как материализовавшаяся тень, принесла кипяток в большом фарфоровом чайнике, теплые еще плюшки прямо из духовки. Пока разливали чай и Клава, обнаружившая, что всерьез проголодалась, налегала на десерты с плюшками, а хозяйка потягивала величественно из чашки свой напиток и закусывала крыжовенным вареньем, ни о чем не говорили. Но когда Люся, осмотрев стол и, видимо, получив какой-то знак от хозяйки, решила, что тут и без нее справятся, и так же беззвучно удалилась, Эльвира Станиславовна потребовала ответа:

— Так что она от вас хотела?

И Клавдия замерла на пару секунд, не донеся чашку до губ, посидела так, потом осторожно поставила чашку на блюдце и посмотрела на Карелину долгим задумчивым взглядом.

А та «держала» этот взгляд с величественным достоинством, и обе они понимали, что именно в данный момент решает Клавдия...

После того их последнего, неожиданно откровенного разговора отношение Клавдии к этой невозможной старухе изменилось, укрепив ее в желании работать с ней. И даже не так — в их отношении друг к другу изменилось многое, они стали не то чтобы друзьями, но крепко зауважали друг друга.

И Клавдия, размышляя о том, что можно ей рассказать, и можно ли вообще рассказывать, и нужно ли, вдруг отчетливо поняла, что доверяет этой пожилой умнейшей женщине.

И рассказала все как есть, всю интригу, в которую невольно, по чьему-то злому ли умыслу или эгоистическому расчету, попала, как муха в паутину.

Эльвира Станиславовна сосредоточенно слушала, задала несколько вопросов по ходу рассказа девушки и долго задумчиво молчала, когда Клавдия закончила свое повествование.

— Знаете, Клава, — задумчиво заговорила она, — есть такая уникальная порода женщин, которые рождаются королевами, даже если они родились на помойке. Это женщины с особой жизненной судьбой, с особой статью и силой и особо одаренные. С неким притягательным душевным огнем. И чем трагичней судьба этих женщин, чем больше испытаний и потерь они проходят, тем великолепней, величественней и изысканней они становятся, как бриллиант, который огранает великий мастер-ювелир, придавая ему утонченную неповторимость. Ваша Анжели Карно относится именно к такой редчайшей породе женщин. Она великолепна, изысканна, как произведение искусства, и смертельно опасна.

— Мне показалось, или вы на самом деле ею восхищаетесь? — подивилась Клава.

— Я уважаю и ценю сильные личности.

— Даже если они злодеи?

— Не имеет значения, добрый-злой, — недовольно отмахнулась Карелина. — Мощная личность неизменно завораживает, притягивает и вызывает невольное уважение.

— Гитлер, например, — вступила в интереснейшую дискуссию Клавдия.

— Детка, что Гитлер, что Сталин сумели заворожить и подчинить себе десятки миллионов людей своей харизмой и силой. Это ли не показа-

214

тель их исключительной притягательности, хотя их обоих вряд ли можно назвать носителями добра. Их можно ненавидеть, обличать и бороться с памятью о них, но не уважать и отрицать мощнейшую силу их личностей невозможно.

— А женщины такого уровня?

— Женщины-политики — это неинтересно, — пренебрежительно махнула рукой Эльвира Станиславовна. — Теряется главное — женская суть, манкость. Если говорить о женщинах и политике, то миром частенько правили фаворитки, а не жены, и фавориты при сильных бабах, дающих слабину в своей женской ипостаси, которые запускали расчетливых мужиков в свою постель. Но и все они недотягивают до уровня тех женщин, о которых я говорю. Такие всегда свободны, как в своей жизни, так и в своей смерти и выборе ее. И не служат никому. Редкая порода. Единичные экземпляры. — И вдруг посмотрела на Клавдию острым, мудрым, каким-то глубоко задумчивым взглядом. — Если вы найдете эти документы или они к вам попадут каким-то образом, отдайте их ей. Сразу, не раздумывая.

— Потому что она опасна? — осторожно спросила Клава.

— Потому что она величественна. И это ее игра и ее жизнь, а вы случайно в нее попали и не имеете к ней никакого отношения. — Эльвира Станиславовна перевела дыхание, задумалась о чем-то и призналась: — Я много чего насовершала в жизни, и, как у каждого человека, не все эти свершения были морально безупречными, а порой и... И если бы каким-то образом вдруг всплыли задокументированные факты моей биографии, которые я не желаю обнародовать и накрепко храню, как свой секрет, я бы за них поборолась. — Подумала и произнесла с нажимом: — Отчаянно поборолась, не стесняясь в средствах и способах и не заботясь о морали. Мои грехи — только мои грехи и принадлежат только мне, и это единственное, что я возьму с собой в могилу, оставив добродетель потомкам, пусть вон мемуарчики почитывают, — кивнула она головой на портфель Клавдии.

С Эльвирой Станиславовной они сегодня засиделись за работой — то ли Карелину настолько вдохновил их разговор о француженке, то ли она заранее настраивалась на долгую работу, но факт остается фактом — засиделись.

К теме Анжели Карно не возвращались — на минуточку, тут дама не меньшей значимости имеется, и нечего высказывать лишнее почтение иным женщинам, пусть и весьма выдающимся.

Вот и занялись конкретной биографией и увлеклись, прервавшись лишь на обед, и, не выпадая из настроя, достаточно быстро с ним покончили почти в полном молчании и вернулись к работе. Сегодня продуктивно получилось.

Клавдия возвращалась поздно и ни про какую мадам Карно уже и не вспоминала. Вообще-то в силу характера и постоянной необходимости в течение долгих лет держать свои чувства, свое истинное отношение к Марку в рамках принятого и навязанного им общения и принимать ситуацию с мудрым смирением такой, какая уж сложилась, у Клавдии давно выработалась спокойная житейская рассудительность.

Ну да, произошло вот такое неординарное событие, и Клавдия не по своей воле, как бабушка это называет, «попала в историю». И что?

Бумаг этих у нее нет, и мадам эта французская понимает, что нет. Вот пусть и ищут себе в другом месте, это ж не ее проблема и не она что-то там такое в жизни своей натворила гадкое, порочное до обморока, что, не приведи господи, станет известным, и тогда всё — разоблачение века, полетят клочки по закоулочкам и пропадать теперь безвозвратно. Вот пусть сама мадам со своими грехами и разбирается. А Клавдия? Ну страшновато, конечно, не без этого, и неприятно ужасно попасть в сферу чьих-то интересов, и люди эти могут что угодно сотворить, добиваясь своей цели, и что теперь? Бояться-бояться-бояться?

А если эта история начнет развиваться в совсем уж дрянном для Клавдии направлении, она вон Василию позвонит, куратору бывшему, не постесняется попросить у него помощи и защиты, да и генералу и своему руководству — всему миру позвонит, постучит, в колокола позвякает и прокричит, если понадобится.

А сейчас-то чего дребезжать?

Ее вот волнует гораздо более трудная проблема — с того момента, когда она вчера объявила Марку, что ждет ребенка, тот пропал. Притом что обычно они хоть раз в день, да перезванивались или в крайнем случае обменивались эсэмэсками. А тут ни звонка, ни сообщения. То есть он, может быть, и объявился бы, если бы Клавдия сама позвонила или сообщение послала. Но она не станет этого делать. Не станет, и все. И вот это куда как важнее любой мадам Карно со всеми ее трагедиями, пропажами и великолепием.

Как понимать эту тишину? Все, мы больше не дружим и не общаемся? Профессор в шоке по горло и тяжело переносит крутые жизненные перемены?

Измученная прошлой полубессонной ночью, бесконечным потоком воспоминаний, прошедшим, как сериал без рекламных пауз, пережитым испугом от встречи с француженкой и многочасовой работой с Карелиной, Клавдия, добравшись до кровати, рухнула на нее и мгновенно заснула глубоким, исцеляющим сном.

И проснулась от телефонного звонка.

Подскочила, не соображая, кто я, где я и что это тут тренькает безостановочно и назойливо. Пару минут возвращалась к реальности из тягучего тревожного сновидения, схватила телефон, успев отметить про себя — не Марк.

— Клавдия, — услышала она голос Эльвиры Станиславовны, — приезжайте сегодня пораньше, к часу пополудни, у меня настроение со вчерашнего дня все еще рабочее, надо им пользоваться.

— Приеду, непременно воспользуемся, — пообещала Клавдия.

И посмотрела на время на экране смартфона — ого! Десять утра. Вот это она поспала, во сколько же она вчера отключилась? Где-то в полдесятого.

Нормально так.

Нынче Эльвира Станиславовна на других людей и чьи-то посторонние интересы не отвлекалась — все в рабочем режиме. Выпили чаю, и Клавдия начала записывать за Карелиной, прервались на обед; как и вчера, в молчании быстро поели. После обеда несколько часов подряд плотно работали, снова попили чаю с разными изысками в Люсином исполнении, еще с часок поработали, но уже поспокойней, без спешки, в расслабленном темпе.

— На сегодня хватит, — распорядилась явно уставшая Эльвира Станиславовна. — Завтра суббота, не приезжайте, у меня гости, да и отдохнуть хочу от этих чертовых воспоминаний. В понедельник тоже не приезжайте. — И строго напутствовала: — Вам есть чем заняться, проверить все, что я вам тут наговорила за два дня. — И, не удержавшись, проворчала: — Хотя я уж сто раз говорила, что присочинять и врать не собираюсь и не имею никакого желания.

— Да ладно, — примирительно успокоила ее Клавдия, пока та не раззадорила себя претензиями и окончательно не изворчалась. — Так же интересней — с настоящими справками, подтверждающими ваш рассказ, которые мы вставим в книгу.

— Идите уже, «интересней», — саркастически повторила за ней Карелина, отмахнувшись.

И только в этот момент стало очевидным, насколько сильно устала и даже измучилась пожилая дама. Да, нелегко даются мемуары, особенно если стараешься быть правдивым и не обелять себя, не приукрашивать и не героизировать свою роль в событиях. М-м-да.

Да и сама Клавдия, сев в электричку, почувствовала, что осталась совершенно без сил, даже не заметила, как начала дремать, просматривая документы, прислонив голову к окну, всякий раз вздрагивая, когда голова резко «клевала» вниз, снова пробовала вчитываться в документы и снова начинала дремать над ними под мерный стук колес.

Умаялась за эти дни, умаялась.

На перроне, как только Клава вышла из вагона, ее кто-то окликнул:

— Клавдия, здравствуйте!

Девушка повернулась на голос и увидела какого-то мужчину, выскочившего откуда-то сбоку, словно он ее поджидал (а ведь наверняка и поджидал, раз окликает), но она не поняла, кто это, а тот почти нежно прихватил ее под локоток и спросил, излучая доброжелательность:

— Что, не узнали?

— Нет, — покрутила головой для пущей убедительности Клавдия и настороженно спросила: — А что, должна?

— Ну как же, — радовался мужик непонятно чему. — Мы с вами позавчера встречались, когда приходили с мадам Карно. Помните?

Вот теперь она его вспомнила — молчаливый и безликий охранник Анжели Карно. Клаве моментально сделалось очень неуютно, и шибанул холодок страха, смывающий с лица только-только начавшую было зарождаться ответную улыбку, а он увидел, что она испугалась.

— Ну не надо пугаться, Клавдия Андреевна, — заулыбался мужчина открытой, располагающей улыбкой. — Мы по-дружески вас подвезем домой...

— Нет, — резко выдернула она свой локоть из его ладони.

— Не надо, — не выпустил он ее руки из захвата, продолжая улыбаться. — Даю вам честное слово, что ничего плохого мы вам не сделаем и никак не навредим. И действительно подвезем к самому подъезду вашего дома.

— Когда? — воинственно спросила Клавдия, которую стало немножечко отпускать от первого естественного испуга.

— Вы очень умная девушка, — похвалил мужик на полном серьезе. — И это замечательно. Есть надежда, что не станете совершать глупости.

— Я не стану, а вы? — спросила она, глядя ему в глаза.

— А я тем более, — уверил он и снова заговорил с ней мягким тоном сердечного друга: — На самом деле мы действительно хотим отвезти вас домой прямо сейчас, только поговорим по дороге.

И, чуть сжав ее локоть, давая таким образом понять, что вступительная часть беседы закончена, он увлек Клавдию за собой по перрону.

Этим вот порядком — охранник чуть впереди, а Клавдия немного отстав от него, скорее из вредности и нежелания прямо вот так подчиняться какому-то незнакомцу, — они и подошли к темному большому джипу, припаркованному у тротуара. Распахнув перед ней заднюю дверцу, охранник мадам Карно чуть подтолкнул девушку в салон, обежал машину и шмыгнул на сиденье рядом с ней.

— Здрасте, — мрачно поздоровалась Клавдия с водителем машины, здоровым таким мужиком с безразличным выражением лица, никак не отреагировавшим на ее приветствие.

Понятно, взаимной радости от встречи не произошло, что неудивительно, поскольку Клавдия сразу же сообразила, что водитель этот многофункционален, наверняка громила еще тот, а сейчас качественно исполняет роль для молчаливого устрашения девицы. Усиливая, так сказать, эффект запугивания возможными страшилками. Машина тронулась с места, медленно вливаясь в дорожный поток автомобилей.

— Клавдия, — обратился к ней продолжавший улыбаться охранник. — За эти дни вы не обнаружили, часом, предмет интереса мадам Карно, о котором она вас спрашивала?

— Нет, — лаконично ответила Клавдия.

— Ну, не горячитесь, — как дитю неразумному попенял он, — мы же не бандиты какие, мы спокойно дружески беседуем.

«Ага, — саркастически подумала Клава, изучая массивный складчатый затылок водителя, покрытый коротким ежиком волос неопределенного цвета. — Не бандитье, конечно, конкретное и отчетливо выраженное, но тоже мало хорошего».

— Вы знаете, когда меня хватают под руки и заталкивают в машину незнакомые мужчины, я как-то плохо располагаюсь к доверительной беседе, — съязвила она, отчего-то внезапно успокоившись.

— Да ладно вам, Клавдия, мы не собираемся вас пытать, шантажировать и мучить... — примирительно сказал помощник мадам Карно.

— А я откуда это знаю? — перебив его, уточнила Клавдия. — Встреч с вами я не искала, вы с вашим товарищем простите, но не самая приятная компания для общения, предположить, что вы, руководствуясь принципами гуманизма и исключительно из этих соображений, решили встретить и проводить уставшую женщину домой, у меня как-то не получается. Значит, что? — спросила Клавдия, как училка у ученика, вышедшего к доске. — Значит, мы имеем здесь нарушение моего конституционного права на свободу, что квалифицируется в Уголовном кодексе как похищение. Статью не знаю и предусмотренные сроки тоже.

— Может, хватит? — все же не сдержался мужик.

Хлипковата нервная система, видимо, оказалась.

— Ничего с вами не случится. Ответьте на мой вопрос: документы нашли?

— Как я могу их найти, если я их в глаза не видела, в руках не держала и вообще не знаю о них ничего? — проворчала Клавдия.

— Клав, — оборвал ее выступление охранник, — вы особо-то не зарывайтесь. К вам относятся по-человечески, пугать, угрожать и физически воздействовать не собираются, мы хотим, чтобы вы добровольно согласились сотрудничать с нами в этом деле, а вы тут речи толкаете.

— Как вас зовут? — вдруг спросила она.

— Андрей, — представился мужик.

— Вот скажите мне, Андрей, — продолжала говорить Клавдия с противной назидательной интонацией, — вот приходит к вам человек, скажем, из ФСБ и утверждает, что вам совершенно случайно, по чьей-то дури, глупости и недосмотру попали очень важные документы и хоть вы про них знать ничего не знаете, ведать не ведаете, но вот просто обязаны их разыскать и предоставить. И начинает так ощутимо надавливать, пугать, а под конец насильно сажает в машину и возит по городу, мило улыбаясь. Ну, вы поняли. Вы как реагировать будете?

— По обстановке, — совершенно по-человечески улыбнулся он и посочувствовал: — Я вас понимаю, Клавдия, и искренне вам симпатизирую, но по всем прикидкам получается, что бумаги должны быть у вас.

— Ох, господи, — вздохнула Клава, — ну вот нет у меня их, и все, были бы, я б их даже в руки не брала, отдала бы сразу же: приходите — забирайте, не интересует. А их нет. — Она безнадежно развела руками. — И что теперь?

— А теперь мы приехали, — кивнул он в окно, за которым уже показался ее дом.

Андрей посмотрел на нее сочувственно и с выражением вынужденной необходимости кивнул на портфель, лежавший у Клавы на коленях.

— Я его заберу, — чуть ли не извиняясь, оповестил он.

— Ну не-е-ет, — протянула, мгновенно расстроившись, Клавдия и принялась уговаривать, заранее понимая всю безнадежность этих уговоров: — Там нет того, что вы ищете, честное слово. К тому же в нем документы и записи по другому человеку, и они очень личные и...

— Клав, — прервал поток ее слов охранник по имени Андрей и медленным мягким движением взялся за ручку портфеля.

Машина остановилась прямо под дверью подъезда, а Клавдия все никак не могла поверить, что у нее сейчас вот так просто и незатейливо возьмут и отберут портфель со всеми бумагами по Эльвире Станиславовне, с кучей копий документов, которые она уже проверила и систематизировала, с предварительными черновыми набросками текста, и что? Теперь придется все это восстанавливать? И портфельчик отберут?

Она так любила этот портфельчик! Когда Клавдия начала работать с генералом, месяца через два Марк привез ей его из Австрии, со съезда математиков, на который Клавдию он не вызывал.

Светлов приехал к Клавдии домой сразу из аэропорта и сунул фирменный пакет известнейшей марки с портфелем внутри:

— Вот, переложи все документы и материалы сюда, а то я смотреть не могу, как ты обращаешься с бумагами и записями — то в трубочку свернешь и в сумочку дамскую затолкаешь, то вообще в пакет полиэтиленовый покидаешь. Кошмар какой-то и сплошное безобразие. Записи должны быть систематизированы, упорядочены и пронумерованы.

Светлов, конечно, еще та зануда бывает, но подарок пришелся Клавдии по душе и понравился невероятно.

И портфельчик-то оказался какой молодец, в нем все-все вмещалось и в полном порядке и достоинстве устраивалось, а при необходимости можно было еще и маленький ноутбук засунуть.

— Андрей, — предприняла Клавдия еще одну попытку вразумить мужчину. — Ну это смешно, на самом деле. Неужели вы думаете, что я бы хранила там ваши бумаги, да и вообще хранила бы их зачем-то?

— Обещаю, — потянув на себя портфель, посмотрел он ей в глаза, — все ваши бумаги мы вернем в целости и сохранности, и это никак не навредит госпоже Карелиной.

И Клава поняла, что сам портфельчик, по всей видимости, ждет печальная участь и более они с ним не увидятся.

— Это прямо какая-то вдумчивая беседа на тему: «Кошелек или жизнь», — чуть не плача, пыталась шутить она, не в силах отпустить любимый портфель и цепляясь за него

— Ну ладно вам, Клавдия, — произнес мужик и вполне так ощутимо потянул на себя портфель.

Она отпустила кожаные бока и проводила портфель, перекочевавший с ее колен к нему в руки, окончательно несчастным взглядом и вздохнула.

— Ничего, Клав, — подбодрил ее Андрей, даже кивнул, улыбнувшись, — все наладится. Идите.

Многозначительно посмотрев напоследок на любимую вещь, она красноречиво громко повздыхала и, открыв дверцу машины, выбралась из салона.

— Клав, — вдруг позвал ее Андрей, высунувшись из открытой двери, — вы там особенно не расстраивайтесь. Так уж получилось.

Она кивнула, мол, поняла вас, злодеи, и, подходя к подъезду, ворчала себе под нос.

— Где там-то не расстраивайтесь? — Распахнула дверь и вошла в подъезд. — А здесь, значит, расстраиваться можно? — Кивнула консьержу и вздохнула уж в который раз, начав подниматься по лестнице. — И портфельчик умыкнули супостаты гадские совсем? Дался он им. Что я, Штирлиц, за подкладку шифровки зашиваю, что ли, с утра до вечера?

Так и бурчала, поднимаясь на свой третий этаж.

Ключ отчего-то никак не хотел проворачиваться в замке.

— Да что такое? Что такое-то? — окончательно разозлилась Клавдия.

Ну что за день? Упахиваешься так, что в электричке засыпаешь, а тут бандиты всякие с претензией на интеллигентность умыкают личное имущество и еще, заразы такие, улыбаются при этом и подбадривают: «Вы там не расстраивайтесь!» Да она и там, и тут расстраивается! Навязались на ее голову идиоты, ценные бумаги свои профукали, а добрых людей за дела свои дурные мучают почем зря!

— Да что ж такое?! — чуть не кричала от возмущения Клавдия.

228

Подергала ключ в замке туда-сюда... и дверь ее квартиры с легким привычным скрипом открылась на маленькую щелочку.

— Это что такое? — шепотом спросила Клавдия. — Она что, открыта, что ли? — И, зацепив пугливо одним пальцем створку двери, осторожно потянула ее на себя.

Дверь, повторно скрипнув, подалась и отворилась на чуть бо́льшую щель.

— Ох! — ошарашенно произнесла Клавдия, отдернула палец, словно это она тут натворила что-то непотребное, и повторила: — Ох, да что ж это такое?

Постояла, глядя на темноту за приоткрытой дверью. Сердце бешено колотилось в груди, коленки ослабли, а в затылке стало горячо.

— Эй... — сунувшись чуть вперед, осторожненько позвала она. — Там есть кто-нибудь?

И отшатнулась, сообразив, что вытворяет.

— Ага, — подбодрила Клавдия сама себя, — а оттуда взял и отозвался злодей, который прячется, типа: «Я здесь, заходите, пожалуйста».

В квартире по-прежнему было тихо.

— Так, — сказала Клавдия, — как говорит генерал, в некоторых ситуациях самый лучший из всех маневров — это вовремя смыться. Не пора ли и мне, это самое, смыться? А?

Она вдруг подумала, что стоит тут перед приоткрытой дверью собственной квартиры, разговаривает сама с собой, и это по меньшей мере странно.

Ну что, зайти?

— Ага, как в детективных фильмах, — попеняла она себе, забалтывая свой страх. — В этом месте должна зазвучать напряженная музыка, и дура-героиня тащится проверить, не спрятался ли где бандит с пистолем.

Стыдясь саму себя, она уже понимала, что, как та самая дура-героиня, она потащится сейчас проверять темноту на предмет: «что случилось?» и «все ли хорошо?», «может, мне привиделось-послышалось-показалось?».

И, потянув осторожно створку двери на себя, под стук бешено колотящегося сердца сделала робкий первый шаг, чуть вытянув голову вперед и продолжая говорить:

— Саспенс, вот как это называется по-американски. — Еще немного приоткрыла дверь и шагнула через порог. — Нагнетается тревога ожидания... — Клава сделала второй шаг в прихожую и вдруг позвала: — Ау, если кто есть — отзовитесь и выходите, пожалуйста! — Прислушалась — тишина в ответ.

Тогда Клава торопливо нашарила рукой на стене включатель, и желтый уютный успокаивающий свет залил прихожую, в которой обнаружились первые следы беспорядка. Вещи, которые должны лежать в шкафу, были сложены стопками на полу, часть ящиков были выдвинуты, а всякая ме-

230

лочовка с верхних полок была переложена на нижние.

Перестало быть так уж отчаянно страшно, отпуская потихонечку, то ли от спокойного теплого света, то ли просто от того, что Клавдия не умела долго, продолжительно и с удовольствием бояться, таково было устройство ее характера — побоялась немного, успокоилась и начала разумно мыслить.

Хотя то, что она потащилась проверять квартиру, в которой совершенно очевидно кто-то шарился и что-то искал, вместо того чтобы вызвать полицию и грамотно «отсидеться» в сторонке, назвать разумным можно лишь с большой натяжкой.

Ладно, уже зашла, что ж, теперь пойдем дальше, посмотрим, что там.

А там... Клавдия дошла до гостиной, так же быстро зажгла свет и... зажав ладошкой задрожавшие от ужасной обиды губы, не удержалась и расплакалась.

В первый момент ей показалось, что в комнате перевернуто, разбито и испорчено абсолютно все — но, осмотревшись внимательней, она поняла, что мебель на месте, битой посуды нет, просто вещи вывалены из шкафов и комода, половина книг с полок переложена на пол, а остальная стоит в беспорядке, распахнуто диванное нутро, демонстрируя нижний ящик, а все вещи из него переложены на пол.

— Так! — произнес вдруг кто-то громко прямо у Клавдии за спиной.

— А-а-а!! — заорав, дернулась она от испуга всем телом, едва не подпрыгнув, и резко развернулась на месте.

— Что здесь происходит? — грозным и недовольным тоном поинтересовался профессор Светлов, требовательно глядя на Клавдию.

— Марк! — прокричала она и, не удержавшись от переизбытка чувств, принялась колотить его ладошкой. — Ты напугал меня ужасно! Что ты подкрадываешься?! Я думала, у меня сердце выскочит!

— Тебе нельзя волноваться, — пораженно уставившись на буйствующую Клавдию, произнес Марк, никак не ожидавший от нее такой экспрессии, и ухватил ее за руку. — Ты себе руку так повредишь, Клавдия. Тебе противопоказан стресс.

— Это не стресс, — не могла никак остановиться и прийти в себя Клава, продолжая воинствовать и жаловаться одновременно: — Как ты меня напугал!

— Повторяю вопрос: что здесь происходит? Ты что, попала в какую-то историю?

— Марк! — На Клавдию вдруг нахлынули совсем другие эмоции, и она, глядя широко раскрытыми от испуга глазами, обхватила его истово, порывисто и прижалась изо всех сил. — Марк! — сквозь перехватившее спазмом горло проговорила она. — Как хорошо, что ты пришел!

— Да? — подивился Марк, обняв ее свободной от портфеля рукой.

— Да! — подтвердила Клавдия, прижимаясь к нему, и вдруг заплакала. — Это просто замечательно, что ты пришел! Ты даже не представляешь, как замечательно!

— Клава, — твердо произнес Марк, чуть отстраняя ее от себя, и внимательно всмотрелся в лицо девушки. — Что случилось? Я должен знать и понимать, что происходит в моем доме и в моей жизни!

— Это не твой дом, — слезливо хлюпнула она носом и напомнила ему автоматически: — Это мой дом и моя жизнь.

— Какая разница! — очень строго и недовольно отрезал профессор.

А она обескураженно уставилась на него, моментально перестав плакать, только стерла резким движением руки катившуюся по щеке слезинку и согласилась:

— Да, на самом деле, какая разница.

— Клавдия, — строго глядя на нее, спросил Марк. — Ты почему плачешь, ты же никогда...

Да, да, она никогда при нем не плакала, вот ни разу, да и вообще она практически никогда не пускала слезу, крайне редко, вот только когда папа умер, плакала всерьез, а так нет, может, потому что веских поводов не случалось.

— Неправда, — напомнила она, — позавчера, когда мы виделись, я тоже немного... Я теперь люблю поплакать, — сквозь вновь навернувшиеся с чего на этот раз слезы улыбнулась она ему.

— Это из-за твоего состояния, — пояснил профессор Светлов и, обведя комнату взглядом, спросил: — Я так понимаю, что это не ты тут порядок таким образом наводила, а в квартире побывали какие-то злоумышленники и все здесь перевернули?

— Да, не я, — утерев очередную слезу, уже улыбалась Клавдия, которой теперь, когда рядом оказался Марк, все было нипочем. Случившееся с ней казалось глупой ерундой, с которой легко и просто справиться, а то, как она сама с собой разговаривала у двери, и вовсе стыдоба сплошная, хорошо, он ее не застал за этим делом!

— Что-то пропало? — выяснял Марк.

— Не знаю, — легкомысленно пожала она плечами.

— Насколько мне известно, лучше ничего не трогать и ни к чему не прикасаться, пока не приедет полиция, — произнес профессор деловитым тоном, обводя разгромленную комнату более внимательным взглядом.

— Не надо полицию, — отказалась Клавдия. — Зачем полицию?

— Клавдия, — принялся объяснять ей Марк, — в квартиру вломились злоумышленники, явно что-то искали и, скорее всего, ограбили. Этим должны заниматься компетентные органы. Проводить следствие и задерживать преступников — их обязанность. Что здесь непонятного?

— Да ничего они не украли, — отмахнулась Клавдия, совершенно и окончательно успокоившись, и неосмотрительно добавила: — И точно не нашли то, что искали.

— Та-а-ак, — протянул профессор, острым взглядом изучая ее, и отчитал: — Я, кажется, спросил: «Что происходит?» И как я понимаю, ты точно знаешь ответ.

— Знаю, — кивнула Клавдия, вздохнула безнадежно и пожаловалась: — Есть хочется. Давай что-нибудь придумаем?

— Полиция? — уточнил ровным, деловым тоном Марк.

— Нет, — покачала головой Клава.

— Тогда найди тут среди этого... — покрутил он неопределенно рукой и отдал распоряжение, — то, что тебе понадобится на несколько дней, и соберись.

— Куда? — не сообразила она.

— Клавдия, — произнес Марк тоном преподавателя, уставшего повторять одно и то же нерадивому ученику. — Я понимаю, ты испугалась, сильно переволновалась, но не до такой же степени, чтобы совсем не соображать. Домой, конечно. Поживешь у меня, пока мы разберемся, во что ты угодила, и справимся с проблемой. Завтра вызову Ирину Константиновну, и вы с ней вместе наведете здесь порядок.

— Марк, — возразила Клава, — там Валерия. Ты же знаешь, я не остаюсь у тебя ночевать, когда ты с женщинами.

— Нет там никакой Валерии, — чуть насупившись, заверил он и проворчал: — Нечего обсуждать. Тебе нужна помощь в сборах?

— Не знаю, — снова выразительно вздохнула Клавдия.

Собралась она быстро, но только потому, что никак не могла сообразить, что ей надо взять из разложенных по полу вещей, — все ходила, смотрела: то одно что-то вытащит, посмотрит, не понимая, надо — не надо, то другое, пока Марк не прекратил это «ковыряние на барахолке», распорядившись:

— Так, все, хватит. У тебя там какие-то вещи есть, возьми то, во что завтра переоденешься, необходимую косметику и эти, чем лицо мажешь, и поехали.

Как ни странно, но, осмотрев довольно внимательно дверь, Марк не обнаружил явных следов взлома, и даже более того, когда они запирали замки, то верхний, вечно капризничавший и заедавший, закрылся.

Вот такие чудеса! Починили, что ли, его взломщики? Заботливые какие, а.

Марк потребовал объяснений, как только они, оказавшись у него дома, переоделись, умылись и решили, что будут готовить на ужин. Поразительно, как это он удержался от расспросов в такси. Пятерка за терпение профессору.

Что ж, ему еще и ждать, когда они спокойно-неспешно поужинают, уберут за собой посуду, присядут чинным порядком перед выключенным телевизором, и вот тогда уж... да сейчас!

И Клавдия рассказала, начиная с триумфального, ошеломившего весь бомонд появления в России несколько лет назад мадам Ажели Карно.

— Карно, Карно? — насупив брови, вспоминал что-то Марк. — Да, помню, — кивнул он, — французский физик и математик середины девятнадцатого века. Изобрел и рассчитал «Цикл Карно», идеальный круговой процесс в термодинамике.

Ну еще бы он что-то не вспомнил! У него феноменальная память на числа, цифры, даты, на имена известных ученых и их достижения и, разумеется, на все, что связано с математикой. Впрочем, не только с ней — если его что-то интересовало из обычных житейских вещей, Марк мог и это запомнить, присвоив событию статус «нужно», «интересно», «занимательно» или «важно». В любых других случаях он благополучно игнорировал происходящее.

— Марк, — остановила его Клава, — это точно не о нем.

— Да, точно, — кивнул он, соглашаясь, — продолжай.

И она продолжила подробнейшим образом рассказывать все, что с ней произошло.

— Так, — заключил Марк, выслушав девушку.

Он встал из-за стола, взял одну записную книжку со столешницы, вернулся, сел на место, выдернул из стакана с ручками-карандашами, всегда стоявшего в центре обеденного стола, шариковую ручку и принялся заносить в блокнот какие-то заметки, понятные только ему одному.

Блокноты для Марка заказывала Клавдия — форматом чуть меньше ученической тетради, но на тридцать шесть листов и разноцветные: зеленые — для тумбочки в спальне, желтые — для гостиной, оранжевые — для кухни — так Марку было проще запоминать, по ассоциации, где и какая мысль его посетила — мысль-место-цвет, как-то так он ей объяснял. Это они вместе придумали такой ход с цветными блокнотами, а ручки-карандаши везде лежали без счета, за этим уж следила Ирина Константиновна, его преданнейшая домработница.

— Значит, мы не имеем достоверных и четких вводных параметров, — говорил Марк, черту что-то в блокноте, — потому что не знаем, насколько качественно велась слежка за адвокатом и насколько достоверно известно, что, получив документы, он нигде не задерживался, ни с кем не встречался, не разговаривал и не имел возможности спрятать или кому-то передать документы до того, как приехал к этому твоему сви-

238

детелю. Как его фамилия? — посмотрел он на Клаву.

— Смирнов, — рассеянно ответила та и улыбнулась: — Такой, знаешь, приятный пожилой человек, спокойный, рассудительный и очень позитивный.

— И не знаем, — продолжил Марк ход своих рассуждений, — какие дела были у позитивного Смирнова с его адвокатом. Может, как раз эти дела с документами и были и до твоего приезда они успели очень надежно их спрятать, а потом тот изображал этой Анжели Карно и ее подручным рвение в поиске бумаг.

— Это так... так ужасно. — У Клавдии дрогнул голос и снова навернулись слезы.

И Марк, услышав этот дрогнувший голос, вскинул голову и посмотрел на нее вопросительно.

— Это реально страшно, понимаешь? Чувствовать и осознавать, что кто-то следит за тобой, за каждым твоим шагом. Что кто-то может беспрепятственно шариться по твоей жизни, войти в твой дом и перевернуть там все вверх дном, трогать твои вещи. И мало что напугали, гады такие, так еще и портфельчик мой любимый забрали...

— Я куплю тебе новый, — остановил ее спокойным голосом Марк и пояснил: — Твое пространство не определяется квартирой, домом и тем более вещами. Оно совсем в другом. Если случится какая-нибудь сложная ситуация, например, тебе срочно понадобятся средства, и ты продашь квартиру вместе со всеми вещами в ней, и кто-то чужой начнет там жить, да, тебе будет грустно и обидно, но ты не воспримешь это как вторжение в твое пространство. Твое личное пространство находится внутри тебя, это твоя личность, твой разум, ты сама со всеми своими мыслями и индивидуальными отличиями. И проникнуть в него никто не способен, только если ты сама это позволишь, и то лишь в какую-то малую его часть. Это вселенная, твоя личная вселенная, и вещи в ней ничего не значат.

«Господи! — подумала вдруг острой четкой мыслью Клава. — Как же он прав! Как бесконечно он прав!»

Ну на самом деле, о чем жалеть? Что она тут слезы пускает и разнюнилась! Вещи пострадали? Да хоть провались они все разом, разве ж в них дело! Ведь над ней, Клавой, никто не издевается, не пытает, не угрожает родным и близким, и они все живы-здоровы и в полном порядке — подумаешь, барахло перетрясли, ну подумаешь же, в самом деле!

Вот сидит человек, самый родной и близкий в мире, и пытается решить твою проблему, воспринимая и считая ее своей, просто потому что так установлено в его системе жизненных приоритетов, ценностей, правил, в его разуме и восприятии жизни и в его крови.

— Я тебя люблю, — сказала Клавдия, слезливо шмыгнув носом.

— Я тоже тебя люблю, — автоматически ответил он и пожурил: — Не отвлекайся. На чем мы остановились?

— На... — улыбнулась она просветлевшей беспомощной улыбкой, — том, что мы не знаем...

— Да, — вернулся к рассуждениям Марк, — мы не знаем всех переменных данного алгоритма. Насколько профессионально следили за адвокатом, какие дела его связывали со Смирновым, мог ли быть «приятный пожилой человек» замешан в эту историю, то есть сообщником адвоката, достаточно ли тщательно они обыскали его дом, участок и машину адвоката. Но если принять за основу, что все, что сказала тебе француженка, стопроцентная правда, то, Клав, — поднял голову и посмотрел на нее Марк, — получается, что бумаги должны быть у тебя.

— Но у меня их нет, — напомнила она.

— Но у тебя их нет, — кивнул Марк, — а должны быть. Ты все проверила?

— Что я должна проверять, Марк, если у меня их нет и быть не может! — И, приподняв плечи и разведя руками в стороны, Клава повторила: — Просто нет и никогда не было.

— Ты должна подумать, — очень серьезно сказал Марк, — ты должна все детально вспомнить, прямо пошагово: во столько-то приехала, то-то сказала, это сделала. Все до мелочей. Я тебе помогу, составлю список последовательных вопросов, и мы проанализируем весь твой день.

— Я не могу сейчас ничего анализировать, — призналась Клавдия. — Я неимоверно устала, меня уже ноги не держат и глаза закрываются.

— Хорошо, — кивнул, соглашаясь, Марк, — завтра с утра этим займемся. Давай спать укладываться. — И, поднявшись из-за стола, распорядился: — Иди умывайся, я твой диван разложу.

— Марк, — окликнула она его и поблагодарила от всего сердца: — Спасибо.

— Ты о чем, Клав? — сильно удивился он.

— Ну о том, что ты помогаешь и спасаешь меня и вот взялся разбираться, — начала что-то объяснять она...

— Клав, — недовольным тоном перебил ее Марк, — куда тебя понесло, что за ерунда? Какое спасибо? — и строго распорядился: — Иди умывайся, у тебя вон уже глаза закрываются.

А она посмотрела, посмотрела на него, думая о чем-то своем, вдруг резко прошагала через комнату, обняла порывисто, приподнялась на цыпочки и поцеловала в щеку.

— Ты самый лучший, — с чувством заверила Клавдия.

И, поцеловав его еще раз, столь же резко отпустила и, развернувшись, ушла в ванную комнату.

Еще окончательно не проснувшись, не открыв глаз, Клавдия почувствовала невероятное спокойствие и какое-то тихое, радостное умиротворение.

Наверное, ей снилось что-то необыкновенное, светлое и радостное...

Улыбаясь от ощущения этой теплоты и уюта, она открыла глаза и... увидела перед собой лицо Марка, внимательно рассматривавшего ее.

И только теперь почувствовала, что он обнимает ее одной рукой за талию, а на другой его руке лежит ее голова.

— Ты... — выдохнула она осторожно, — как здесь...

— Ты стонала во сне, — нахмурив брови, ответил Марк, — и вскрикивала, и очень тревожно спала. Сначала я приходил и успокаивал, помогало ненадолго, потом мне надоело бегать туда-сюда, и я лег рядом.

— И что, я перестала стонать и вскрикивать во сне?

— Перестала, — подтвердил он.

И они посмотрели друг другу в глаза и..., и им показалось, что где-то высоко-высоко зазвучала еле уловимая музыка органа. Она смотрела в эти невозможные, поразительные темно-серые глаза, напоминавшие наэлектризованную грозовую тучу, готовую вот-вот ударить в землю ослепительной, мощной и губительной молнией, — и пропадала, тонула в них...

А он всматривался в ее невозможные, поразительные малахитовые глаза и чувствовал, как затягивают они его безвозвратно...

И их перенесло в прошлое...

Самая середина мая, Сочи.

В Сочи проходил большой международный научный форум, который запланирован на целую неделю. Событие знаковое, необычайно важное для всего мирового научного сообщества, и в первую очередь, разумеется, России как площадки для встречи мировой научной элиты.

В рамках первоочередных вопросов, обсуждаемых на форуме, профессор Светлов сделает доклад по теме: «Ситуационные прогнозы основных глобальных вызовов в условиях локальных отрицаний».

Очень красиво, очень заумно и как-то совершенно непонятно с точки зрения обычного человека, но коллеги с большим интересом ждали анонсированного доклада. Аудитория, перед которой предстояло выступать профессору Светлову, состояла сплошь из известных и маститых ученых всего мира, экономистов, бизнесменов высшего ранга и чиновников мировой управленческой элиты.

Выступил профессор Светлов блестяще. Его доклад вызвал настолько большой резонанс, что, нарушая всякий регламент, Марк еще долго отвечал на вопросы с трибуны и был «захвачен» коллегами, когда спустился с нее. Выйдя из зала, он продолжал отвечать на вопросы, приняв участие в стихийно возникших дебатах и наскоро давая интервью сразу нескольким телевизионным каналам, причем разных стран.

В то же время он то и дело украдкой посматривал на часы, задумываясь о чем-то отвлеченном, чувствуя нарастающую потребность отстраниться от своего доклада, от напряжения и волнения, связанного с ним, и от его активного обсуждения, перевести дух и... и для этого ему нужна была Клавдия.

Необходима. Прямо сейчас.

Нужно было срочно провести их обычную «психотерапию» — прогуляться и посидеть где-нибудь в совместном медитативном молчании. Он даже знал где — здесь, в Сочи, Марку и Клавдии приходилось уже бывать на научных собраниях, и не раз, и у них уже имелось «свое» облюбованное местечко, которое они обнаружили в первый же приезд, местечко, где практически не появлялись люди, а вид оттуда открывался прямо-таки потрясающий. Далековато, правда, но можно и такси взять, а не идти пешком.

«Все можно, главное, добраться до Клавы», — с нетерпением думал профессор Светлов и все поглядывал и поглядывал на часы, отмеряя в голове — вот ее самолет приземлился, она без багажа — значит, уже в такси, вот должна доехать до гостиницы, вот....

И сбежал самым банальным образом — как-то ужом просочился между пытавшимися задержать его коллегами, кивая на ходу и бурча что-то невразумительное, отдаленно похожее на смутное обещание из разряда: «Я подойду». Не врал, между прочим, ни разу — обязательно подойдет, вопрос лишь в том, когда.

Сбежал. И поспешил в свою гостиницу, в которой давным-давно, еще несколько месяцев назад, забронировал номер для Клавдии. Поселиться в Сочи в дни форума было практически невозможно не только в гостиницах любого класса, но и в частном секторе — настолько большим оказался интерес к этому мероприятию, и не просто в ученом мире, но и у бизнесменов, чиновников высшего звена, да и у обычных граждан, поскольку многие доклады будут представлены в открытом доступе и даже транслироваться на специальных каналах в прямом эфире, то есть для широкой аудитории, и билеты на них были распроданы задолго до начала самого форума.

Клавдия подустала.

С утра успела поработать с бумагами, потом в аэропорт, самолет немного задержали, всего на полчаса, но накапливающееся напряжение усиливалось. В Москве дождь, а тут вышла из аэропорта — в другой мир, в другую жизнь — лето вовсю! Парит-жарит под тридцать градусов!

Пока добралась до гостиницы, пока заселилась, совсем сомлела и еле дождалась, когда можно будет наконец принять душ и смыть с себя вместе с усталостью и это накопившееся напряжение. До встречи с Марком далеко — у него доклад, потом обсуждения-прения, а это надолго, раньше позднего вечера его нечего и ждать. Вот и ладненько — значит, можно поплескаться подольше.

Дверь в ее номер была не заперта, а открыта на небольшую щелку.

Водилась за Клавдией такая привычка — в номер войдет, сразу с порога осматриваться начинает и ручкой эдак небрежненько у себя за спиной — эть, как отмахнется, дверку вроде как захлопнет. А дверка та — э-э-э-э, лениво эдак прикрывается, но не до конца, и замок не защелкивается.

Сколько раз так уже было! Марк постоянно распекал Клавдию по этому поводу и бесконечно напоминал про то, что надо двери закрывать и проверять, что закрыла. Но это мало помогало — нет-нет, да и забудет закрыть дверь, как вот сейчас, может так и полдня проходить, не замечая.

Он заранее насупился от этой ее безалаберности, собираясь строго отчитать, раздраженно шагнул в номер, не преминув захлопнуть за собой дверь, и позвал строгим голосом:

— Клава!

Прошел через небольшой коридорчик в комнату и... и замер.

Она стояла возле кровати голая, мокрая и, подняв руки вверх, раскручивала полотенце на волосах. Услышав его голос, она резко обернулась.

Через распахнутую балконную дверь в комнату беспардонно ломилось розово-алыми лучами заходящее солнце, нежно озаряя нагое, мокрое точеное тело. Кожа светилась необыкновенным жемчужно-розовым светом, превращая женщину в нереальную, словно парящую над землей и обыденностью сияющую богиню...

Застигнутая врасплох, она замерла, так и продолжая держать в поднятых руках полотенце, из которого, как в замедленной съемке, медленно-медленно падали мокрые, сверкающие на солнце пряди волос...

И смотрели на него невероятные, широко распахнутые от неожиданности малахитовые глаза.

Время замерло, и Марк почувствовал, как стучит у него в груди сердце, как закипает кровь в паху.

И внезапно снизошло на него пьянящее озарение, что на самом-то деле нет, и никогда не было, и не может быть у него никакого выбора, и не существовало никогда никакой иной возможности жить, дышать, двигаться, существовать как личность, как мужчина, как человек, мыслить и быть без вот этой женщины, без полного единения с ней.

Не в состоянии разорвать нить между их соединенными взглядами, Марк неосознанно в несколько огромных шагов преодолел расстояние, разделявшее их, и, продолжая тонуть в ее глазах, начал нервно, стремительно раздеваться, буквально срывая с себя одежду.

И, оставшись таким же нагим, как она, сделал последние полшага и осторожно, как величайшую

248

драгоценность, медленно притянул, обнял и прижал к себе свою розовую богиню. И почувствовал ее всю телом, кожей, и от невыносимой мощи и яркости чувств, буквально обрушившихся на него шквалом, он прикрыл глаза, прижался лицом к ее макушке, глубоко с шумом втянул в себя ее родной, единственный на земле, дурманящий аромат и замер на какое-то короткое мгновение, переживая пронзительные, глубочайшие эмоции, которые потрясали его.

Он не осознавал и не помнил тот момент, когда, подхватив на руки, уложил на постель свою драгоценность — это лишние, не имеющие в те секунды значения подробности для него, для нее — последние мгновения разделенности.

И они целовались, потерявшись друг в друге, долго, продленно, забывшись и потерявшись, пока разгоревшееся в них истинное желание не переплавило нежность на устремленность вперед — туда, где они вместе, — и поцелуй и объятия стали яростными, сокрушительными, влекущими.

И Марк поднял голову, посмотрел ей в глаза и, удерживая этот светящийся любовью и желанием малахитовый взгляд, одним движением соединил их тела, войдя в нее до самого предела. И остановился.

И они замерли, переживая этот потрясающий момент полного единения, который ждали долгие годы, к которому шли все это время всеми своими устремлениями, своими потерями и приобретениями, — и чувствовали, как соединяются, сплетаются окончательно их тела...

И сорвались, понеслись вперед, перешагнув некий невидимый барьер, что еще отделял их от полного и окончательного единения, и на самой вершине, которую они достигли вместе, их вышвырнуло в то медитативное пространство, которое они давным-давно соткали вдвоем, в котором и встретились их души...

Они не спали всю ночь. И не разговаривали — только смотрели в глаза друг другу и парили в их собственной вселенной, что сотворили давным-давно и в которую вошли окончательно и полно только сейчас. Они не могли оторваться друг от друга, перестать смотреть в глаза, перестать целоваться, гладить и осторожно дотрагиваться кончиками пальцев, впитывая всеми органами чувств новое знание друг о друге.

Они соединялись под величественную музыку, звучавшую в их головах, в их мире-пространстве — то неистово, исступленно, то непереносимо нежно.

Словно они умерли и родились заново, только совсем другими, измененными, не теми, что вошли в это пространство порознь.

И когда просветлело небо, они лежали на боку, тесно прижавшись друг к другу, наполненные, обессиленные, счастливые.

— Идем к морю, рассвет встретим, — своим потрясающим, сексуальным голосом, чуть охрипшим от всего пережитого и испытанного, предложил Марк.

Не сговариваясь, понимая и чувствуя желания и настроение друг друга, они ушли подальше по пляжу, туда, где не было людей, и, укутавшись в одеяла, которые прихватили с собой, смотрели на огненный шар солнца. А потом зашли голышом в розовую воду и поплыли.

Недалеко, правда, и недолго, все же еще холодноватая вода была.

Вернулись в гостиницу, рухнули на кровать и заснули.

Проснулись от того, что настойчиво пиликал чей-то смартфон.

— М-м-м, — отозвался Марк, не меняя позы.

Понятное дело, что пришлось Клавдии выбираться из его объятий и, кое-как разлепив глаза, ориентируясь на звук, разыскивать телефон, который в конце концов обнаружился в кармане брюк Марка, небрежно кинутых на кресло.

Смартфон она извлекла, отдала его Марку и поплелась в душ, раз уж все равно встала.

Когда Клавдия вышла из душа и осмотрелась, выяснилось, что Марка нет в номере, как и всех его вещей. Отыскав свой смартфон, Клавдия ему позвонила.

— Я проспал и пропустил утренний доклад, — ровным голосом сразу же объяснил Марк, проигнорировав принятую у других людей привычку приветствовать. — Мне надо срочно на форум в конференц-зал. — И уточнил: — У тебя самолет в шесть вечера?

— Да, — подтвердила Клава.

— Я приду тебя проводить, — сообщил мужчина всей ее жизни. — Все, пока.

И отключился. Нормально. Все как обычно. Марк — это Марк.

Клавдия подозревала, что и проводить-то он ее не сможет — все-таки профессор Светлов серьезно занят и увлечен важным делом, встречами, диспутами.

Ведь форум — на самом деле уникальная возможность встретиться с коллегами-учеными со всех стран, и это редчайшая удача.

Но Марк все же пришел, правда, только в гостиницу, чтобы попрощаться с Клавдией перед тем, как посадить ее в такси. Был напряжен, сосредоточен на каком-то мыслительном процессе, хмурил брови, не обнял, не поцеловал хотя бы в щеку и никаким иным образом не обозначил перемену в их отношениях или хотя бы те чувства, которые испытывал, и все молчал, пока она укладывала в сумку свои немногочисленные вещи и сувениры-подарки, которые купила, гуляя по Сочи днем без него.

Он проводил ее до такси, передал сумку водителю и, взяв в руку ладошку Клавдии, заглянул ей в глаза и сказал:

— Клав, того, что было у нас этой ночью, больше не повторится.

252

— Марк, ты что? — замерла в недоумении Клавдия. — Ты... — Она не могла поверить в то, что он говорит.

— Клава, — насупившись, строгим тоном внушал он ей, — мы оба поддались чувствам, мы не могли их преодолеть, нас же всегда сильно влечет друг к другу. Так бывает. — Он все смотрел, смотрел ей в глаза, стараясь втолковать свою мысль. — Это было... — на мгновение он сбился, но совладал с собой, — не передать словами и не объяснить, насколько прекрасно, и... кхм, — кхыкнул он перехватившим горлом, — это было. Но наша с тобой дружба и наши сложившиеся отношения надежней и сильней любой страсти. И я не хочу ничего менять. И не буду. И не намерен тебя терять. Поэтому между нами все останется, как и было прежде.

Она смотрела на него во все глаза, смотрела и смотрела.

Бесполезно что-то доказывать, пытаться ему объяснять свою точку зрения по этому поводу и свои желания, взывать к Марку, уговаривать, что-то втолковывать, когда он уперся, — дело пустое и совершенно зряшное.

Она и не стала, выдернула свою ладонь из его руки и отчеканила ровным, холодным тоном:

— Если ты готов выбросить и отказаться от того, что между нами произошло этой ночью, то ты идиот, профессор. Ты хоть понимаешь, что это ненормально? Ты серьезно, на самом деле думаешь, что после всего, что между нами случилось, после такого потрясения, что мы пережили вдвоем, возможно спокойно вернуться к прежним дружеским отношениям?

Он молчал. Стоял с напряженным лицом, сдвинув брови и прищурив глаза, недовольно сопел и молчал.

Клавдия, резко распахнув дверцу автомобиля, села на заднее сиденье и добавила:

— Не хочу тебя видеть. И дружить с тобой больше не собираюсь. Хватит, надружилась за десять лет по горло. Сам с собой дружи.

И с силой захлопнула за собой дверь. Такси отъехало от пандуса перед гостиницей, а Марк так и стоял и смотрел вслед увозящей ее машине.

Она летела в самолете и буквально умирала от горя!

Ей было так больно! Так невыносимо больно от этой его глупой какой-то упертости и засевшей в голове идеи фикс. От ненормальной, какой-то вывернутой наизнанку логики, по которой они должны всенепременно расстаться, если станут интимно близки.

Бред полный!

И весь обратный полет Клавдию разрывало на части от мыслей об их соединении, все длившемся и длившемся в ее воображении, мыслей, которые заставляли гореть изнутри и покрываться сладкими мурашками, и мучилась от какой-то ужасной вселенской несправедливости и обиды!

Так было плохо, что сердце болело весь полет.

И, поймав себя на мелькнувшей предательской мысли, Клавдия горько усмехнулась — вот вам и расстались после близости, как ученый Светлов и предполагал! Прощать она его не собиралась — хватит, все, на самом деле хватит!

И напоминала себе бабулины наставления — обижаются только горничные.

«Ага, — саркастически соглашалась Клавдия и добавляла: — И брошенные женщины».

И эти уж если обиделись...

Две недели. Две недели она игнорировала звонки Марка, не отвечала на сообщения, не открывала ему дверь, когда он приезжал поговорить и звонил безостановочно в дверной звонок, грозно взывая к ее благоразумию, пока соседи не выставляли его из подъезда.

Она обижалась, она уговаривала и настраивала себя жить дальше без него, в общем, все так же не собираясь его прощать.

Все, как всегда, испортила опера. Или исправила, как посмотреть.

На пятнадцатый день ее противостояния позвонил дед Марка Валентин Романович.

— Клавушка, — радостно обратился он к ней, — завтра состоится концерт твоего любимого Андреа Бочелли, ты помнишь?

— Нет, — оторопела Клавдия, — не то что не помню, даже знать не знала, что он приезжает в Москву.

— Ну ты ж работаешь, оно и понятно. Так я чего звоню, Марк давно заказал билеты на этот концерт, и на тебя, разумеется, в первую очередь. Но сказал, что у вас возник какой-то небольшой конфликт и ты можешь не принять у него билеты, вот и попросил меня передать тебе наше горячее предложение посетить это мероприятие совместно.

— Валентин Романович, — спросила Клавдия, вредничая, — а вы своему внуку не объясняли, что засылать человека, которому тот не может отказать, это называется манипулированием?

— Я так подозреваю, Клавушка, — хохотнул Валентин Романович, — что Марку это отлично известно, потому-то он и делегировал меня пригласить тебя на концерт.

— Конечно, я пойду, Валентин Романович, ну какие могут быть разногласия и обиды, когда Андреа Бочелли! Только вы своему внуку скажите, что общаться с ним я не намерена, пусть держится от меня подальше.

— Всенепременно передам, — пообещал дед Светлов.

Они и не общалась, хотя Марк было сунулся что-то сказать, но Клавдия пресекла все его попытки с ней заговорить, напомнив холодным тоном:

— Я все тебе сказала в Сочи, Марк. Больше общаться с тобой и поддерживать дружеские отношения я не намерена.

И все же позволила ему проводить себя домой на такси после великолепного концерта, наверняка под впечатлением от величия и красоты пережитых духовных потрясений, от неповторимого голоса Андреа Бочелли и гениальной музыки.

Наверняка. А то с чего бы? Она же решила. Но ехали молча, так ничего друг другу и не сказав.

И конечно, находясь под впечатлением от великого маэстро, Клавдия пустила этого несносного мужчину домой и напоила его чаем.

И... и — тяжелый безысходный вздох — провались оно все совсем! — смотрела на него и отчетливо понимала, что не может держать на него обиду, даже за дело, и расстаться навсегда бесповоротно тоже не может по очень простой причине — он часть ее души, ее жизни, ее вселенной.

Клавдия вспомнила, как однажды Александр Иванович, рассказывая о своей несостоявшейся из-за его непростой работы первой сильной любви по той причине, что девушка не хотела принимать реалии его службы, сказал:

— Понимаешь, Клавушка, ощущение собственной правоты несовместимо с любовью. Оно монтируется только с желанием обладать человеком, его принадлежностью тебе и соответственно с его подчинением твоим желаниям. А вот что касается любви, тут уж так: либо ты хочешь быть по-настоящему счастливым, либо правым.

Понимает она. Теперь понимает. Ну, вот обиделась до слез и пытается что-то доказать этому невозможному, упертому в своей глупости мужчине и вообще отказаться от отношений с ним. Да? Да, именно так. И что?

Знаете, вот простой вопрос — и что?

Он перестанет быть таким, какой он есть? Нет. Никогда. Хорошо, она раз и навсегда уберет его из своей жизни и вообще перестанет с ним общаться. И что?

И у нее станет совсем другая жизнь, в которой не будет Марка Светлова со всеми его заморочками и ужасным, невыносимым характером. Будет какой-то иной мужчина, может, и муж, дети, работа, свои радости и печали, трудности и победы и годы, годы, годы, в которых уже никогда не будет настолько близкого человека, родной души, который слышит, чувствует ее на всех уровнях и понимает без слов так, как никто в мире. С которым у них есть великое единение на двоих, у нее не будет человека, который объяснит ей свои чувства математическим языком, и она поймет и услышит больше, чем если бы кто-то просто говорил о любви. Не будет самого близкого, самого преданного и родного друга, не будет целой галактики в ее жизни, без которой там черная дыра.

Огромной, невероятной, завораживающей галактики....

А предмет мучительных размышлений Клавдии молча лопал лимонное суфле, которое обожал, как ребенок, и которое Клавдия собственноручно готовила специально для него чуть ли не в промышленных масштабах.

— Спасибо за концерт, — холодноватым тоном поблагодарила она.

— Пожалуйста, — кивнул Марк.

Хотел было что-то еще сказать, но Клавдия жестом остановила его:

— Все, я устала, у меня был трудный день. Давай отправляйся домой.

Одно дело рассуждать о роли Марка в ее жизни и понимать всю бесполезность решения расстаться с ним раз и навсегда, другое дело, что спуску ему давать тоже уж совсем не стоит. Нечего.

И она еще не решила! Может, и бог с ней, с галактикой по имени Марк Светлов!

Не решила.

Он уехал, осторожно попрощавшись и все всматриваясь в ее лицо. И как-то столь же осторожно и незаметно, слово за слово: «Ты как?» — «Нормально, а ты как?» — почти все вернулось на круги своя. Не сказать, что вот они уже снова друзья-друзья и по часу могут болтать по телефону, рассказывая друг другу, как дела, как день прошел, что грустного-радостного-печального-веселого случилось, как бывало меж ними обыкновенно, но все же какая-то постоянная связь наладилась.

Ну а дальше у Марка своя непростая, супер-важная работа и двадцатичасовая плотная загруженность, у Клавдии своя напряженная работа — сдача новой книги мемуаров, суета и волнения перед ее выходом. Не виделись, но созванивались каждый день и уже поговорить могли поживей, подольше и поделиться заботами и настроениями.

В июле справляли день рождения деда Роберта Кирилловича. В Верхних Полянах собрались все друзья и близкие, в том числе, само собой, и Светловы, которым в этом году снять на лето дачу в Полянах не удалось, зато нашелся очень хороший вариант в другом поселке, в десяти километрах от Невских, так что частенько приезжали друг к другу — совсем же рядом, такси вызвали, и фьюить, уже у друзей, всего десять минут. Было понятно, что и генерал Александр Иванович теперь уже член семьи, и Марк приехал (это обязательным порядком).

Отмечали замечательно — с богатым праздничным столом, установленным на лужайке, с украшенным шариками и плакатами фасадом дома, с шашлыками и грилем, с песнями под гитару. И танцевали — старшее поколение ставило танго и вальсы под любимых исполнителей тридцатых-сороковых-пятидесятых годов, младшее присоединялось к ним с неменьшим энтузиазмом.

Очень здорово все получилось — легко, радостно, душевно, и как-то незаметно, на волне общей радости и по-настоящему удавшегося праздника Клавдия с Марком увлеклись разговором, забыв обо всем на свете.

Как ни любил и ни понимал Марк этого слова, но признал, что они откровенно соскучились. Прямо тонули друг в друге, не могли взгляд оторвать, погружаясь в их собственный, один на двоих мир, — он рассказывал о делах, коллегах, известных ей, о новых идеях, о происшествиях с его беспокойными студентами, про своих учеников-любимчиков и их достижения, а она увлеченно, с интересом слушала, расспрашивала, потом поменялись ролями — Клавдия делилась своими впечатлениями о работе, о новом авторе, новом проекте, а Марк с не меньшим, чем она, интересом слушал, расспрашивал, давал дельные и неожиданные советы.

Шутили, хохотали, держались за руки, глаза в глаза, отрешившись от всего вокруг.

И тут появился незваный гость — хлопнула калитка, по дорожке прошагали чьи-то решительные шаги, и к столу вышел Володя с большим букетом цветов в одной руке и с габаритной коробкой, упакованной в яркую подарочную бумагу с непомерным каким-то зеленым бантом, в другой.

— Привет всей честно́й компании! — весело поздоровался он. — А я вот тут имениннику подарок принес, надеюсь, понравится!

Вера Михайловна и Лариса Вадимовна, хозяйки праздника, засуетились — куда посадить нового гостя, что предложить.

Марк посуровел и замолчал, замкнулся, а Клавдия...

Она вообще не поняла появления Владимира и для чего весь этот показательный парад-алле, но терпела водворение свежего человека за столом, взбодрившего немного уже было расслабленную компанию, перетянувшего внимание на себя.

Володю она часа через полтора выпроводила, ответив на все его настойчивые вопросы и подтвердив еще раз принятое ею ранее решение.

И зачем приезжал?

А вот с Марком после появления Владимира поговорить им так больше и не пришлось. Старшие Светловы явно и заметно устали, немудрено, они хоть и бодрые старички, но все же далеко за восемьдесят, а в празднике принимали самое активное участие: и танцевали, и гулять по поселку ходили, и насмеялись, наобщались, да и выпили винца. И Марк с родителями вызвали такси, загрузили в машину своих старшеньких и вскорости уехали, расцеловавшись с хозяевами и душевно попрощавшись.

И снова общение Марка с Клавдией свелось к короткой переписке в соцсетях и недолгим разговорам по телефону. Куда-то делась былая дружеская близость и легкость, и что-то безвозвратно изменилось и не налаживалось в прежнем, при-вычном режиме.

А потом он позвонил и позвал ее прилететь, а она первый раз за все эти долгие десять лет от-казалась.

Они все смотрели и смотрели друг другу в гла-за, пропуская через себя воспоминания о Сочи, о той их ночи и рассвете, которые безвозвратно из-менили их отношения, как бы ни пытался Марк вернуть все в прежние рамки.

Иногда бывает так, что один поступок, одна ночь — и вся твоя жизнь навсегда переменилась. И уже невозможно вернуть все назад и что-то ис-править — поздно! То, что случилось с тобой, пере-вернуло все твое сознание, наполнив воспомина-ниями о событии, открыв какое-то иное ви́дение, понимание мира.

Это как попасть в аварию на дороге — вот ты ехал себе, ехал — хорошо! Солнышко светит, птички чирикают, зелень по обочинам пышная, красота! Музычка в динамике, ты подпеваешь, настроение замечательное, ни тебе пробок, ни тебе трудного трафика — загородное полупу-стое шоссе, — и ты летишь, довольный, счастли-вый, думаешь о своих делах, что-то планируешь: вот приеду и сделаю то-то, а потом надо сделать вот это.

И тут с проселочной дороги вылетает грузовик на бешеной скорости и тебе в бок! Все!

Ничего не исправить, не вернуть, не переиграть! И не имеет значения, отделаешься ли ты сумасшедшим испугом или получишь серьезные травмы, — все, пошла совсем иная жизнь.

Одна ночь — и другая жизнь; как ни пытайся вернуть прежнюю — не получится. Потому что Клава стала другой. Они оба стали другими.

Они оба теперь наполнены знанием и телесной памятью своего единения и как это было у них!

— Клава, — серьезным сосредоточенным тоном заговорил Марк, — я проанализировал ситуацию и пришел к однозначному выводу, что этот твой Леша...

— Володя, — привычно поправила она.

— ...вам с ребенком не подходит для жизни никак, — столь же привычно проигнорировал он ее уточнение. — Нам всем он не подходит.

— Почему? — спокойно спросила Клавдия.

— Да потому! — вспылил Марк, сразу же раздражаясь. — Потому что он совсем другой человек! Вот как мы будем воспитывать и растить ребенка, что-то ему объяснять о жизни, если его отец продает унитазы!

— Но кто-то ведь должен и унитазы продавать, — резонно заметила Клава, — не всем же науку двигать. И Володя хороший человек и очень даже достойный мужчина. И между прочим, он не торгует унитазами, а работает топ-менеджером на крупном предприятии, производящем сантехнику.

— Да я не оспариваю, что кто-то и сантехнику должен производить и продавать, и вполне уважаю всякую профессию. И допускаю, что этот твой... что он хороший человек и вполне себе достойный мужчина. Но нам с ребенком он никак не подходит.

— Марк, — попыталась что-то сказать Клавдия.

— Нет, подожди! — снова перебил он ее. — Послушай меня, я должен объяснить. Этот человек, пусть он сто раз замечательный, и прекрасный, и достойный мужчина, не спорю, но он не подходит нашей семье. У него совсем другой мир, другие законы его развития, восприятие жизни отличное от нашего, даже юмор у него другой, вернее, полное его отсутствие.

— Марк, — предприняла Клавдия еще одну попытку остановить его красноречие.

— Дай мне договорить, — потребовал он.

— Может, мы встанем с дивана, и ты договоришь? — предложила Клавдия.

— Сначала я договорю, а потом мы встанем, немного осталось, — не согласился он и продолжил: — Так вот, проанализировав все это, я решил предложить тебе... — Марк посмотрел на нее долгим, сосредоточенным и немного напряженным взглядом. — Клава, давай этот ребенок будет мой. Наш с тобой.

Она какое-то время внимательно изучала выражение его лица и спросила:

— И как ты себе это представляешь?

— Просто. Будем жить вместе, ты, я и малыш, — изложил он свой план и добавил: — И все наши, конечно же.

— Прекрасно. А спать мы с тобой тоже будем вместе или по-прежнему останемся друзьями? А, Марк?

— Нет, — очень серьезно заявил Марк.

— Что «нет»? — недовольно переспросила Клава. — «Нет» — мы не будем спать вместе и любить, или «нет» — не останемся просто друзьями?

...И именно в этот момент по никем еще не отмененному закону подлости и совершенно покиношному не вовремя затренькал телефон Марка, лежавший на журнальном столике рядом с расстеленным диваном.

— Не бери телефон, ответь мне! — возмущенно потребовала Клавдия.

— Я сейчас... — пообещал ей Марк и, сев рывком, сразу же ответил звонившему.

Клавдия медленно втянула в себя сколько могла до упора воздух, задержала дыхание, прикрыв глаза, и, резко выдохнув, решительно поднялась с дивана и направилась в ванную комнату.

«Так что нет-то?!» — негодовала она, с остервенением начищая зубы.

С ума сойдешь с этим Марком Светловым!

Когда она проходила из ванной в кухню, он все еще продолжал разговаривать с кем-то по телефону, отдавая распоряжения суровым начальственным тоном и расхаживая при этом по комнате из угла в угол.

Ну и пусть, злилась на него Клава. Нет, ну кому понравится: «Он нам не подходит, у него другой мир», — передразнила она мысленно Светлова, а у тебя, значит, прямо всем мирам лучший мир на свете!

Провел с женщиной совершенно потрясающую, великую ночь любви, такой любви, от которой вы оба теряли сознание, вместе переносились в иную реальность — и на следующий день струхнул, — ай, ай, только не это, замените расстрелом! Нам нельзя, нельзя! Исключительно дружба на все времена — етить коромыть, — чистая дружба спасет нас от расставания!

И так она все распаляла себя мысленным ворчанием, пока готовила завтрак.

— Мне надо в Центр, там какая-то ерунда с данными, — заявил Марк, входя в кухню.

— Сегодня суббота, — напомнила ему Клавдия, старательно сохраняя спокойный тон и медленно помешивая варящуюся в кастрюльке кашу.

— Но данные надо обрабатывать, — объяснил он.

— Понятно, — кивнула Клава, — то есть поговорить нормально нам не удастся, я правильно поняла?

— Овсянка? — потянул носом Марк. — Класс! Больше полугода не ел твоей овсянки. Я вернусь из Центра, мы сядем и спокойно все обсудим. Обещаю. Все, я в душ.

— Охо-хо, — смиренно вздохнула Клавдия ему вслед.

Овсянка, которую она варила, на самом деле была одним из любимых блюд Марка. Наверное, лет шесть назад Клавдия редактировала книгу известной французской писательницы, которая много лет прожила в Шотландии. И так неожиданно получилось, что Клавдия с ней встретилась, когда та приезжала в Россию. Они коротко пообщались, но Клава, не удержавшись, спросила, что делает мадам, чтобы находиться в такой великолепной форме. А та, посмеявшись, ответила:

—Не верьте никому, когда они кокетливо уверяют вас, что прекрасно выглядят только благодаря своим генам, позитивному настрою и занятиям спортом. Все это merde («фигня», — мысленно автоматически перевела с французского словечко Клава). Все мы неизбежно стареем, это нормальный процесс, а молодые не по возрасту лица и подтянутые тела по большей части результат прекрасной пластической хирургии и современной косметологии. Если вы живете в ладах со своим возрастом, но хотите ему немного помочь, чтобы чувствовать себя энергично и долго быть здоровой, питайтесь правильно, ходите с наслаждением пешком, общайтесь с интересными людьми, улыбайтесь, хотя бы назло врагам, и оставьте проблемы других людей решать им самим, даже если это ваши близкие и любимые родственники.

И она рассказала Клавдии рецепт правильной и на самом деле уникальной по своим целебным и питательным свойствам овсяной каши.

Во-первых, это никакой не «Геркулес» ни за что и ни разу! Это не обработанные, а просто очищенные от оболочек зерна овса. Их долго варят исключительно на воде, без соли вообще, вода-овес — все, при этом постоянно помешивая. Доводят до готовности и только тогда добавляют по желанию соль, мед или сахар-молоко.

Клавдия пошла дальше и стала замачивать овсяные зерна на ночь, утром сливала воду, тогда каша варилась быстрей и была, как ей казалось, вкуснее. Вот как-то так.

Каша сварилась, чай был заварен в большом керамическом чайнике, и Клавдия заканчивала накрывать на стол аккурат к тому моменту, когда Марк вышел из душа.

Осознав сей факт, когда выставляла на стол последнее блюдо с нарезанным сыром и хлебцами, она снова саркастически хмыкнула в свой адрес — за эти годы они настолько изучили характеры, привычки и пристрастия друг друга, что даже такие мелочи, как горячий завтрак к его приходу из душа, происходили у нее сами собой, на подсознательном уровне.

— О-о-о! — Марк вошел в кухню и сразу сел за стол, принюхавшись к пару, поднимавшемуся над большой плошкой с кашей. — Давно мечтал о твоей каше.

— Приятного аппетита, — чинно пожелала ему Клавдия.

Какое-то время ели молча, но тут она вспомнила о своих делах и поднялась из-за стола.

— Ты куда? — конечно же, спросил Марк.

— Витамины в сумке, а она в комнате, — пояснила Клава.

— Подожди, — придержал он ее за руку, — сядь.

Поднялся сам и быстрым шагом вышел из кухни, вернулся с какой-то небольшой упаковкой в руке, которую и протянул ей:

— Вот, держи. Теперь будешь принимать эти.

— Марк, — поразилась Клавдия, рассматривая упаковку и читая название и ингредиенты. — Это очень хорошие европейские витамины для беременных, дорогие, конечно, но очень качественные, их трудно достать и купить. Я вот не смогла. Ты где их взял?

— У врача.

— У какого врача? — ошарашенно посмотрела она на него и спросила, насторожившись: — Ты заболел, что ли, Марк?

— Я не заболел. — Он налил чаю в свою и ее чашки из большого чайника, поставил тот на место и объяснил: — Я созвонился с Князевым. Помнишь такого?

Сосредоточенно нахмурив брови, призадумавшись, Клавдия коротко крутнула головой — нет, мол, что-то не припоминаю.

— Егор Дмитриевич, который трансплантолог известный, мы с ним...

— А-а-а, — вспомнила Клавдия, — тот, с кем вы на каком-то съезде пытались математическую модель трансплантации почки составить. Кажется, в Стокгольме? Года три назад? Тебе эта идея тогда необычайно понравилась. У него, кажется, трое детей, два мальчика и совсем маленькая девочка, ты мне говорил как-то. Правильно?

— Точно, только не в Стокгольме, а в Берне. И не три, а два с половиной года назад. Когда ты сказала про беременность, я позвонил ему...

— О, Марк, рад тебя слышать! — искренне обрадовался Князев, когда Светлову удалось-таки поймать того между операциями и обходом больных. — Ты, как я понимаю, по делу?

— Да, Егор Дмитриевич, извини, — покаялся Марк и задумчиво спросил: — Почему так получается, что с людьми, которые нам близки, необычайно приятны и интересны, мы пересекаемся только по делу и из-за каких-то проблем, ты не знаешь?

— Отчего же. — По его голосу Марк понял, что Князев улыбнулся. — Знаю. Вот ты сколько часов в сутки работаешь?

— Ну-у-у, — протянул Марк, задумавшись.

— Вот и я «ну», — хохотнул Егор, — жена все посмеивается, спрашивает: «Князев, когда ж мы дочку успели сделать, если тебя никогда нет дома, а когда есть, ты спишь мертвым сном или обдумываешь новый ход операции?»

— М-м-да, — согласился Светлов.

— Так ты по какому делу? Заболел кто или пристроить кого из родных-знакомых на операцию надо?

— Да упаси господь! — открестился от такой перспективы Марк. — Я спросить хотел, проконсультироваться, можно сказать. У меня девушка беременна, — и отчего-то пожаловался мимоходом: — Летать вот на самолетах отказывается.

— Поздравляю, — со всей серьезностью произнес Князев, — во-первых, что беременна, а во-вторых, что девушку ты себе для этого дела правильную нашел. Сейчас принято на такие мелочи, как беременность, не обращать особого внимания, подумаешь, лечу куда хочу, делаю что хочу. А то, что полет — это резкие перепады давления и повышенный уровень естественного давления в салоне, пересушенный искусственный воздух, резкая смена климата, а взлеты-посадки — это вообще стимуляция, как при абортировании, и что это все опасно не только для ребенка, но и для самой барышни, никто не думает. А потом удивляются, почему у них ранний варикоз, и деформация органов таза, и трудные беременности на грани выкидыша, и слабые детки рождаются.

— Да? — поразился Марк. — Это так опасно? — И тут же испугался, что Клавдия чуть не полетела к нему. — А я не знал.

— Опасно, особенно на определенных сроках. Какой у твоей девушки срок?

— Не знаю, — растерялся Светлов, понятия не имевший о таких тонкостях беременности.

— Однако, — хохотнул Князев.

— Я про другое хотел спросить, — поспешил переключить внимание друга Марк. — Мне нужна консультация хорошего специалиста, чтобы он мне подробно объяснил, что сейчас для нее лучше. Сколько гулять, что есть, какие препараты принимать. Ты можешь посоветовать мне достойного, проверенного специалиста? Не пустого со званиями, а...

— Я понял, — перебил его Князев. — Записывай: Саркисова Амира Ашотовна. — И он продиктовал ее рабочие координаты и все телефоны. — Она гений, лучший акушер-гинеколог по вопросам патологической беременности и родам в Москве. Все самые передовые инновации и достижения в области вынашивания и рождения ребенка только у нее. Я позвоню ей сейчас, порекомендую тебя, а ты перезвони сам где-то через часик.

Таким вот обычным для нашей страны и проверенным веками способом — через знакомых, рекомендации и «замолвленное слово» — на следующий день Марк попал на прием к Амире Ашотовне, которая, выслушав его, задала, в свою оче-

273

редь, тот же загадочный вопрос, что и накануне Князев:

— Какой у нее срок?

— Не знаю, — терялся на этой сплошь женской, пугающей территории Марк, старавшийся даже краем глаза не смотреть на жуткие плакаты в кабинете великой акушерки.

— Ну что ж вы так, папочка? — пожурила акушерка с доброй улыбкой. — Ну хоть предположительно? — И уточнила: — Вы ведь предполагаете, какой срок у вашей жены?

— Она мне не жена, а друг, а срок не предполагаю, — чистосердечно признался профессор Светлов.

— Ну хорошо, — чуть поджав губы, пряча иронию, мягко проговорила Амира Ашотовна. — Пойдем другим путем. У вашего друга живот уже виден?

— Ну так...

Он представил перед своим мысленным взором образ Клавы. В тот момент, когда она сообщила ему о своей беременности, была она одета в длинную, до пола, и достаточно широкую юбку и обтягивающую маечку, и Марк мимолетно заметил, что, кажется, Клава поправилась и ей идет, а то она всегда такая тоненькая.

— Так, — снова повторил он и жестом показал нечто похожее на оглаживание мяча, — немного да, есть, заметно. Не то чтобы выпирало, но есть. — Он изобразил что-то непонятное в районе талии: — И здесь так... прибавилось.

— Хорошо, будем условно считать, что около пяти месяцев.

Последующий час она долго и достаточно подробно отвечала на все вопросы Марка, список которых — разумеется! — он составил заранее. Многое растолковала и от себя, без наводящих и дотошных вопросов Светлова. Записала на понедельник Клавдию к себе на прием и в конце их беседы сказала:

— Поздравляю вашего друга с тем, что она ждет ребенка. Но узнайте точный срок и позвоните в регистратуру, чтобы они отметили в карте приема.

— Ты специально ходил к известному врачу-гинекологу, чтобы разузнать, какие меры необходимо соблюдать для того, чтобы беременность протекала благополучно и ребенку было хорошо? Чтобы получить рекомендации? — поразилась Клавдия.

— Ну да, я же должен знать, что необходимо делать и как за тобой ухаживать, когда ты в таком состоянии, — небрежно пожал плечами он, не понимая ее преувеличенного удивления.

За рассказом о посещении врача Светлов успел доесть кашу, выпить чаю с бутербродом из правильного хлебца, авокадо и сыра и теперь чувствовал приятную сытость.

— Спасибо, было очень вкусно, — поблагодарил он за завтрак, поднялся, прошел к мойке, собираясь вымыть за собой тарелку с чашкой, и тут вспомнил: — Да! Так какой у тебя срок? Надо в регистратуру позвонить и отметить в твоей карте.

— Восемнадцатая неделя, — постным тоном оповестила Клавдия.

И начала мысленный отсчет: раз-два-три...

Марк кивнул и снова развернулся было к мойке — четыре-пять... — открыл он кран — шесть-семь... — собрался поднести тарелку под струю воды.

Семь секунд понадобилось профессору Светлову, чтобы произвести в уме расчеты, сопоставить и осмыслить факты.

На восьмой секунде он резко развернулся к Клавдии, продолжая держать в руке тарелку, и обескураженно произнес:

— Это мой ребенок! — И, не сводя с Клавдии сверлящего негодующего взгляда, медленно поставил на столешницу тарелку. — Это мой малышок! — И, переживая момент полного осознания факта своего отцовства, поразился: — Я же чувствовал, что это родной мой малыш! Вот прямо чувствовал, знал наверняка!

Клавдия молчала, смотрела на его потрясенное выражение лица и изо всех сил старалась сдерживать расползающуюся на лице улыбку.

— Почему ты сказала, что ребенок от этого... — резко переключился на другую мысль Марк.

276

— Воло... — попыталась напомнить она, но он раздраженно перебил, повысив голос.

— Я помню, как его зовут! — негодовал все больше и больше профессор Светлов. — Почему ты сказала, что это его малыш?

— Я такого не говорила, — спокойно возразила Клавдия. — Ты почему-то сразу же решил, что Владимир и есть его отец. Меня ты не спрашивал, а сам, как я понимаю, и мысли не допускал, что отцом этого ребенка можешь быть ты.

Марк задумался на пару мгновений, видимо, вспоминая их разговор, а с памятью у профессора... ну это мы знаем.

— Да, — посмотрел он на нее, — ты не говорила. — Он резко закрыл кран, в три больших шага подошел к сидевшей на своем месте Клавдии и склонился над ней, сверля взглядом. — Почему ты не сказала мне, не разубедила в этом моем заблуждении?

— А должна была? — ответила Клавдия, твердо глядя прямо ему в глаза. — Ты ведь очень умный, профессор. Настолько умный, что если бы присуждали Нобелевские премии в области математики, ты бы непременно ее когда-нибудь получил. Вот и подумай, почему я не стала тебя разубеждать. Может, потому что мне за десять лет осточертел весь этот бред, на котором тебя заклинило, про невозможность интимной близости между нами и семьи? А может, я опасалась, что ты еще чего оригинальное удумаешь, лишь бы не быть со мной в полной мере? А может, потому что поняла, что ты настолько боишься любви, что придумал сделать вид, будто не было той ночи, и от страха даже мысли не допустил, что этот ребенок может быть твоим?

Он вдруг нагнулся, ухватил ее за предплечья, поднял рывком со стула, прижал к себе — нежно, осторожно, но крепко поцеловал в голову и произнес тихим, проникновенным голосом:

— Все, все, прости. Прости меня. Я идиот.

Первый раз за все время, которое она его знала, он попросил у нее прощения прямым текстом — честно, искренне, до конца, до самого своего дна попросил.

— Десять лет, — всхлипнула Клавдия и повторила: — Десять, Марк.

— Да, — согласился он, — десять.

— Ты так испугался того, что между нами произошло? — осторожно спросила Клавдия, прижимаясь щекой к его груди.

— Наверное, — признался он. — Это... больше, чем жизнь. Это даже перенести трудно, настолько невероятное единение мы пережили. Я очень часто во сне оказываюсь снова там, в том номере гостиницы, и вижу тебя, сияющую, залитую розовым солнечным светом, и ощущаю потрясающую мощь наших чувств.

— Да, — согласилась Клавдия, разделяя с ним переживания того дня.

Постояли, обнявшись, на одном дыхании, чувствуя друг друга. И вдруг Марк задал настолько неожиданный вопрос, что Клавдия не сразу и сообразила, о чем он спрашивает:

— А как же твой Володя этот? Что ты ему сказала про малыша?

— Володя? — пораженно переспросила она.

— Ну да, этот твой...

— А как он может быть? — все недоумевала она. — Наверное, хорошо. Не знаю. Мы расстались с ним давно. Еще в начале апреля. Вернее, я рассталась, а он считал, что не расстался, и еще долго пытался со мной поговорить и что-то там обсудить. А обсуждать было нечего.

— Он поэтому тогда приехал на день рождения Роберта Кирилловича?

— Ну, да, — кивнула Клавдия и спросила в свою очередь: — А твоя Валерия? Вы как с ней?

— Никак, — усмехнулся Марк, — прилетел из Сочи и сказал сразу, что мы расстаемся. Не мог я с ней после нас, после того, что пережил с тобой. Да ни с кем уже не мог.

— А со мной боялся, — подсказала Клава.

— Да. По инерции, — вздохнул он покаянно и признался: — Все произошло так неожиданно и так... что я подумал, что после такого ты точно сбежишь от меня и надо как-то тебя удержать. Наверное, от потрясения так подумал, слишком все это было...

— Ничего, — подбодрила она его, — ничего. — И поделилась неожиданно пришедшей на ум мыслью: — А может, кто знает, от того, что десять лет мы шли к этому соединению и что-то такое важное не растратили в себе, друг в друге, в близости своей, у нас так потрясающе получилось. Не знаю, как объяснить. Словно мы перестали быть порознь, а стали одним целым.

А он прижимал ее к себе, гладил тихонько по спине и целовал короткими нежными поцелуями в маковку. Клавдия откинула голову назад, чтобы видеть его лицо, и улыбнулась со светлой грустью.

— Французы утверждают, что только такая любовь и есть настоящая, вызревшая, как вино, которое прошло процесс молодого, бурного брожения, любовь, которая пережила все испытания и потери и обрела себя. Они называют это: «L'amour est comme le destin» — «любовь как судьба», — перевела она. — Такая взрослая любовь, которая уже не любовь, а судьба.

— Ты всегда была моей судьбой, хоть взрослая, хоть мелкая зелень двадцати лет, и я всегда это знал, — улыбнулся он ей. — Все очень просто на самом деле: ты формула моей жизни. И была ею с самого начала.

— Это что-то новенькое, — усмехнулась Клава и потребовала: — Поясни.

И вот на этом важном моменте, когда были сделаны самые тихие, самые истинные, откровенные признания, вызревшие, как то самое выдержанное вино, прозаически и гадски-подло затренькал смартфон в кармане у Марка. Кто бы сомневался!

— Не-е-ет! — воскликнула Клавдия.

— Я тебе потом объясню, — пообещал он и посмотрел на экран. — Это из Центра, мне надо срочно ехать. — Он коротко поцеловал ее в лоб и ответил на звонок: — Да?

Все, он уже был не с ней, и не с воспоминаниями о той их бесподобной ночи, и даже уже не под впечатлением от ошеломившей его новости о ребенке, а в своем Центре всеми своими мыслями и устремлениями.

Минут через десять, полностью собранный, с портфелем в руке, Марк заглянул в кухню, где Клавдия, назло всем и иже с ними профессору Светлову, большой столовой ложкой лопала прямо из пластмассового контейнера лимонное суфле, запивая это удовольствие чайком — эдакий протест обстоятельствам.

— Тебе нельзя много сладкого, а сахар совсем уберем из твоего рациона, малышу это вредно, да и тебе, — походя заметил профессор, перед тем как дать основные наставления.

Клавдия картинно закатила глаза, изобразив бессилие, — понятно! Все пропало, жизни не будет! Марк получил консультацию ведущего специалиста по занимавшему его вопросу, сто пудов этим дело не ограничится — он перелопатит горы литературы по животрепещущей проблеме. Теперь он изведет ее бесконечными наставлениями на тему, что ей можно и полезно, что рекомендовано и обязательно к исполнению, а чего нельзя, вредно, противопоказано и бяка, фу, брось и ай-яй-яй, и указаниями, как надо жить-дышать-ходить-спать.

Пропала Клавдина жизнь!

— Так, — командовал тем временем профессор, мало обращая внимания на ее ужимки и гримасы, — я ухожу, буду... Не знаю когда, но буду. Ты не вздумай никуда уходить.

— Куда, например? — уточнила Клавдия.

— В свою квартиру, конечно же, — напомнил Марк. — Это может быть опасно, к тому же там полный бардак. Я поговорю по этому поводу с начальником нашей службы безопасности. Думаю, он что-то посоветует, поможет и, скорее всего, возьмет тебя под охрану.

— Да не надо меня под охрану! — испугалась Клава. — Зачем?

— Затем, — очень информативно пояснил профессор Светлов, подошел, обнял одной рукой ее за талию, крепко, но коротко поцеловал в губы и довольно улыбнулся. — У тебя вкус лимонного суфле. Очень вкусно. — И не удержался, ну не мог он, честное слово, удержаться, тогда бы это уже был не профессор Светлов. — Больше не ешь, вам с малышком сладкое только натуральное: фрукты, мед.

— Ма-а-арк, — простонала Клавдия от бессилия и послала его подальше: — Иди ты... в Центр.

— Иду, — усмехнулся он.

Конечно, она поплелась провожать его в прихожую, а он, обуваясь и проверяя бумаги в портфеле, все давал и давал на ходу еще какие-то наставления несколько занудным, преподавательским тоном.

— И последнее, — подчеркнул Марк, строго посмотрев на Клавдию. — Садись и начинай вспоминать тот день, когда встретилась с Лощинским. Прямо по минутам вспоминай. Пользуйся ассоциативной памятью: запахи, звуки, может, какая-то мелочь или глупость запомнилась, вкус и цвет. Сиди, вспоминай и записывай. Я вернусь, посмотрим вместе твои записи и поработаем над ними. Все. Я пошел.

И, прогремев дверным замком, вышел из квартиры и побежал вниз по ступенькам, не дожидаясь лифта.

— Да-а-а, пропала спокойная жизнь, — провожая взглядом удаляющуюся по лестнице вниз фигуру Марка, тяжко вздохнула Клавдия.

Но потакать его менторским замашкам и прямо кидаться исполнять его наставления Клавдия не собиралась, хотя практически всегда следовала его рекомендациям. А чего не слушать-то, если любой вопрос, любую проблему Марк изучал досконально, сопоставляя факты, собирая подробные данные, проводил глубокий анализ и только после этого выдавал результат в виде готовых рекомендаций. Он существовал в пространстве точной науки и научного подхода к решению проблемы любого свойства, как научной, так и бытовой.

— А потому что нечего! — несколько воинственно проговорила она.

А что? Имеет полное право послать его куда подальше, ведь так ни о чем они и не договорились, ничего окончательно не выяснили и никаких решений не приняли. А Марк Глебович откровенно сбежал, с удовольствием воспользовавшись поводом уехать в разлюбезный его сердцу Центр, где без него прямо, можно подумать, наступил апокалипсис.

Поэтому вредничаем и не простили его еще, и вообще куда захочу, туда и пойду, а хоть бы и домой, там, кстати, убирать-переубирать до морковкиного заговенья после любопытных злодеев.

— Ладно, — тяжко вздохнула Клавдия, — в одном профессор Светлов прав: надо заняться делом и наконец разобраться с этими идиотскими чужими бумагами и отделаться от навязчивого внимания мадам Карно.

По примеру Марка Клавдия подтянула к себе так и лежавший со вчерашнего вечера на журнальном столике оранжевый блокнот, в котором он делал записи, слушая ее рассказ, полистала, рассматривая, что он там написал, ничего не разобрала в этих стрелочках-вопросиках, кружочках и обозначениях, перелистнула на чистую страницу, взяла ручку и застыла над белым листом.

Итак. Вопрос номер один — где бумаги? Записала.

Посмотрела на запись и поняла, что это полный бред. Можно подумать, от того, что она написала вопрос на бумаге, на него как-то быстрей найдется ответ.

Ладно. Клавдия откинулась на спинку дивана, который успел сложить Марк, чему она не удивилась ни разу — порой в стремлении к порядку Светлов в своем педантизме доходил до крайности. А порой, когда полностью погружался в решение какой-то никак не поддающейся задачи, устраивал вокруг себя сплошной хаос из бумаг, блокнотов, записочек, в которых тем не менее присутствовала только ему известная упорядоченность, и категорически нельзя было сдвинуть с места хоть один клочок мятой бумажонки, иначе это нарушало весь стройный «порядок» под загадочным названием «ход его рассуждений». Тут же стояло несколько ноутбуков, работающих одновременно, лежали раскрытые математические справочники и таблицы, пустые грязные чашки из-под кофе и чая, погребенный под бумагами пульт от телевизора, а портфель вообще валялся под ногами посреди комнаты...

— Ну что такое! — возмутилась Клавдия. Что она все о нем да о нем-то!

Так, хватит, пусть профессор любезничает со своей Марусей Стахановной, кстати, названной Марусей с легкой руки Клавдии, которая посмеялась, что в жизни Марка образовалась еще одна близкая женщина, очередная Маруся, только железная, а отчество Стахановна уже его ребята из группы добавили.

Нет, ну что за дела-то! Хватит, на самом-то деле!

От раздражения Клавдия резво поднялась с дивана, побродила бесцельно по комнате, сходила в прихожую и принесла оттуда старый папин портфель, в который она сунула свой ноутбук, когда впопыхах собиралась в разгромленной квартире.

Охо-хо, еще и квартира, опечалилась Клава, там же предстоит делать грандиозную генеральную уборку. А кто любит наводить генеральную уборку? А?

Нормальной хозяйки нет, потому что это ужасно долго, дотошно до каждого потаенного уголочка и места и столь же утомительно.

Так, все! У нее дело. Вернее, дело у Анжели Карно, а у Клавдии головная боль и непонятный напряг из-за чужих тайн. Ну не из-за светлых же, на самом деле, за светлые дела никто не станет подозреваемого в причастности гонять, как хомячка по аквариуму. Типа: отдайте мою грамоту от правительства, она дорога мне как память — и квартиру обыскивать, пока хозяин на работе, в поисках грамотки пропавшей, так, что ли?

Ну что ж. Начнем с самого начала. А что считать началом?

Пожалуй, примем за отправную точку встречу Клавдии со свидетелем Смирновым Георгием Васильевичем, вернее, с их предварительной договоренности об этой встрече.

Ну с этим проблем не возникло никаких, Эльвира Станиславовна сами соизволили позвонить старому другу и просто уведомить непререкаемым тоном:

— Жора, завтра к тебе приедет девушка, которая занимается книгой моих воспоминаний. Ответишь на все ее вопросы. — И царственно распорядилась: — Смело можешь рассказывать всю правду.

Вот за этой «смелой правдой» Клавдия и собралась ехать на следующий день.

И так удачно совпало, что Георгий Васильевич жил по тому же направлению Подмосковья и по той же железнодорожной ветке, на которых располагались Верхние Поляны, только дальше от столицы. И Клава с большой радостью отправилась вечерком домой к своим.

Конечно, они ее ждали и наготовили всяческих вкусностей, даже слезу пустили старики от радости, словно не виделись бог знает сколько, а не на прошлой неделе.

Засиделись за столом, все наговориться не могли, уж и поужинали, и чаю напились, уж и самовар давно остыл, и ночь настала, а они все разговаривали.

Когда Клавдия еще в конце июня объявила родным, что беременна, радости не было предела — старики плакали от счастья, мама все прижимала дочку к себе и целовала, поздравляли, строили планы: как да когда и что надо срочно сделать-отремонтировать, какую мебель переставить — ребенка растить будем только здесь! А где еще? Не в Москве же загазованной.

Только здесь, на природе, в чистоте и на натуральных продуктах.

И, смех сплошной, — лишь перед тем, как разойтись спать, дед вдруг вспомнил:

— Постойте, девоньки! А отец-то у нас кто?

Немая сцена. Все трое потрясенно уставились на Клавдию, а та посмотрела на всех поочередно, переводя вдумчивый взгляд с одного на другого, взяла да и отмахнулась:

— Не важно.

— Да и правильно, — согласился Роберт Кириллович. — Какая разница, кто папаша, ребенок-то наш.

На том и порешили. Казалось бы. Но каждый раз, когда Клавдия приезжала, нет-нет да кто-нибудь из родных мимоходом поднимал вопрос об отцовстве. Вот и в тот ее приезд не удержалась мама, но легко, с иронией, в виде шутки.

Посмеялись и... в очередной раз остались без ответа.

Не могла отчего-то Клава им рассказать про них с Марком, сама не понимала почему, может, потому что между ними все так и осталось невыясненным? Бог знает, какой-то такой заклин с ней случился.

Впрочем, никто особо и не настаивал — нет так нет. И на самом деле, какая разница — ребенок-то наш.

Так, отвлеклась. Продолжим.

Утром завтракали всей семьей — Клавдию собирали, словно она отправлялась в командировку за тридевять земель, а не в поселок в тридцати километрах от Полян. Она все посмеивалась, а бабуля совала ей пирожки в сумку — перекусить, день-то долгий, рабочий, когда еще нормально пообедаешь, а тут чаек, пирожок...

Стоп!

Пирожки! Ну, конечно! Как она могла забыть?!

Это все Марк виноват! Да потому что... Виноват, короче, и все!

С ним она еще разберется, а вот с делом!

Итак, пирожки. До пирожков Вера Михайловна попросила Клавдию отвезти в Москву ее старинный фотоальбом.

— Это для Киры, — поясняла бабуля, — моей одногруппницы, ты ее помнишь?

— Ну, ба, ты спросила, — упрекнула ее Клавдия.

— Да, — согласилась та, — тебе было лет пять, когда Кира приходила к нам в гости. В молодости-то мы с ней крепко дружили, но потом, как водится, у каждой своя жизнь... Ну не важно. Кира решила что-то там устроить вроде встречи одногруппников, тех, кто еще жив, у нас же есть очень выдающиеся ребята. Теперь уже дедушки и бабушки, конечно...

Альбом надо было передать той самой Кире. Большой пузатый альбом в потертой кожаной обложке, в центре которой красовалась репродукция картины про героические будни советских рабочих на каком-то морском промысловом предприятии, где среди бухт с сетями, коробами для улова, громоздящимися на пирсе, с прикайтованным к нему рыболовецким баркасом беседовали о чем-то работница в кожаной куртке, строгой юбке и сапогах, с красным платком на голове, повязанным по-пролетарски назад, и, видимо, бригадир в брезентовом плаще и кирзачах. Из серии «трудовые будни».

Альбом категорически не желал помещаться в портфеле, значительно превышая его габариты. И мама предложила сначала полиэтиленовый пакет, но бабуля возразила, что это неэстетично, и принесла декоративную льняную сумку с толстыми веревочными ручками несколько пляжного вида. Лариса Вадимовна указала на этот пляжный дизайн, дамы спорили, а Клавдия, уже почти катастрофически опаздывавшая на нужную электричку, просто торопливо затолкала альбом в сумку.

Бабуля спешным порядком сунула туда же, в сумку, пакет с пирожками. Клавдия уж и спорить не стала — бегом, бегом!

Сумка! Вот точно же сумка!

Куда она потом делась-то?

— Вспоминай, вспоминай! — подбадривала себя Клава.

Так. Когда она приехала к Смирнову, совершенно определенно сумка была при ней, Клавдия еще накинула ее веревочные ручки на ручку портфеля, так оказалось удобней нести.

Дальше. Портфель и свою дамскую сумочку она прихватила с собой в комнату, куда ее провел Георгий Васильевич, а эту полупляжную, с какой-то художественной цветочной аппликацией оставила в коридоре. И она там стояла все время...

Точно! Точно! Мог он в нее сунуть бумаги? Мог, мог, еще как мог! Лощинский выходил встречать ее вместе с хозяином, когда Клавдия позвонила в калитку, хозяин прошел к воротам отпирать, а адвокат остался стоять на веранде у входной двери. Он еще взял у нее из рук портфель и сумку, поухаживал, так сказать. А когда адвокат уходил и Клавдия со Смирновым вышли из комнаты его проводить, он суетливо все пытался застегнуть свой портфель в прихожей. Так, может, это он...

Вполне вероятно. Очень даже вероятно. Только где же та сумка-то, а? Клавдия за эти дни про нее и не вспомнила ни разу!

«Вспоминай, — приказала она себе. — Так, вот ты уходишь от Смирнова, он тебя провожает — сумка с тобой? Вот прихожая, он говорит что-то веселое... Над чем вы смеялись? Над фотографией его, восемнадцатилетнего — худого-худого, брюки на нем висят, маечка такая... да, точно. Дальше. Дальше ты прощаешься и он берет со столика в прихожей и передает тебе твою сумку! Точно! Ты ее чуть не забыла, это он вспомнил и отдал!»

Да. А куда она делась потом?

Домой-то Клавдия пришла уже без нее. Дальше...

Она поехала в Москву и пошла в издательство, ей надо было поработать с текстом.

Так. Издательство.

Разумеется, у Клавдии имелся свой стол в общей редакторской комнате, но, поскольку она редко появлялась на рабочем месте, в основном занимаясь со своими авторами у них дома да в архивах и учреждениях, то коллеги давно приспособились использовать его как дополнительный плацдарм для складирования бумажных кип. Вы хотя бы отдаленно представляете, какое количество бумаг громоздится на столе ответственного редактора?

Не Монблан, конечно, но где-то около того. И каждый из редакторов мечтает как-то разгрести эти свои завалы и хоть немного освободить рабочее пространство, а Клавдия... Когда она придет, вот тогда и уберем.

Вот она и пришла.

А за столом не то что работать — сесть невозможно. И народ, жалуясь и вздыхая, принялся разбирать залежи бумаг.

Сумка совершенно определенно в тот момент была у Клавдии с собой. Она еще достала из нее пирожки, потрясла ими победно, приглашая желающих перекусить, девчонки быстренько организовали чай, и они посидели, попили чайку с домашними бабушкиными пирожками.

Так. А сумка? Из издательства Клавдия ушла без нее, потому что четко помнит, как доставала ключи перед дверью квартиры и уронила портфель. Только портфель, никакой сумки уже не было.

Значит, она осталась в издательстве? Так выходит?

Клава зажмурилась и прикрыла лицо руками, сосредоточившись и стараясь вызвать в памяти картинку.

Вот она достает и демонстрирует пирожки, сумку даже положить некуда, Лида забирает стопку своих бумаг, и Ольга свою стопку... Так. Клава садится на кресло и....

— И кладу сумку в щель под столом! — победно прокричала Клавдия и триумфальным жестом воздела руки к потолку и повторила: — Под столом!

У них такие столы офисные с выпендрежным дизайном — столешница на железных ножках, а к ней прилагаются две тумбы с ящиками на колесиках, которые закатываются и устанавливаются по обе стороны под столом, и между столешницей и тумбами остается расстояние сантиметров десять.

Народ туда что только не сует — от безобидных фантиков от конфет и батончиков до всякого замысловатого и не сильно одобряемого начальством барахла. Клавдия вот засунула пляжную сумку, чего уж теперь приукрашивать стеснительным «почти» — пляжную, и все дела, со старинным альбомом с тружениками моря на обложке.

Который там себе и лежит до сих пор, позабытый напрочь.

Ну а как не забыть-то? Если именно в тот момент, когда она работала над текстом, позвонил Марк, сообщив, что взял билет и ей надо срочно лететь к нему, а она первый раз в жизни ему отказала.

А потом пропал — не звонил и сообщения никакого не присылал. Разумеется, Клавдия только об этом и думала. А когда наконец появился и она сообщила, что беременна, он почему-то решил, что отец ребенка — Володя.

Между нами, идиот вообще-то, хоть и профессор. Или потому что профессор — идиот?

А потом исчез на два дня — и тишина, словно и нет его вовсе, сбежал до канадской границы! А что она должна была думать? Вот она и думала.

Какой там, на фиг, альбом для бабушкиной подруги с тружениками моря? Какая сумка? Вы о чем? Когда тут жизнь, можно сказать, рушится.

Ладно, проехали. И что теперь?

Теперь самый главный вопрос — сумка, предположим, нашлась, а вот есть ли в ней те самые злополучные документы — вопро-о-ос. По логике, которую так любит профессор Светлов, получается, что должны быть именно там, а вот...

— Надо проверить, действительно ли эти дурацкие бумаги там, — ответила сама себе Клавдия.

Идти так идти.

И она принялась торопливо собираться, по ходу размышляя — позвонить, сказать Марку о своей догадке или сначала самой удостовериться, а потом уж советоваться с ним? И советоваться ли вообще?

И в самый последний момент, когда уж стояла у входной двери, Клавдия вспомнила, что сегодня суббота. Ну суббота, и что? Да, собственно, даже и хорошо, значит, в редакции никого не будет, а это очень неплохо — при ее-то загадочных делах лишние случайные свидетели ни к чему.

— Какие свидетели, Клава? — проворчала она. — К чему они там тебе? Совсем уже заигралась.

Поворчала да и пошла, а куда деваться?

Дом, в котором проживал профессор Светлов, относился к категории достаточно элитного жилья и поэтому усиленно охранялся. Он был окружен высоким ажурным забором, ограждавшим довольно обширную околодомовую территорию. Попасть внутрь можно было через запертую на электрический замок калитку или через въезд со шлагбаумом, рядом с которым в будке сидел охранник.

Выезд с территории сразу за шлагбаумом буквально через пять метров упирался в тротуар, отделявший его от проезжей части одной из вечно загруженных улиц близ центра Москвы.

Клавдия махнула охраннику, сидевшему в будке, тот нажал кнопку у себя на пульте, отпирая боковую калитку.

Клава, поблагодарив его кивком головы, прошла вперед. Она практически ступила на тротуар, когда внезапно почувствовала неизвестно откуда взявшийся приступ почти животного, мгновенного страха, и ей пришло четкое понимание, что вперед идти нельзя — ни в коем случае нельзя!

И в последний момент подчиняясь этому неосознанному внутреннему наитию, Клавдия не перенесла вес тела на ногу, уже занесенную для следующего шага, а, как-то неуклюже меняя траекторию, шарахнулась влево.

И через удар сердца, практически в тот же момент, даже не услышала, а почувствовала стремительное движение сзади... Тело среагировало раньше, чем сформировавшаяся мысль проскочила через сознание — на одном рефлексе, на чьем-то спасительном вмешательстве! Словно кто-то свыше, может, ангел-хранитель, толкнул ее назад, и она, чтобы не упасть, по инерции отступила на два быстрых шага.

И в ту же секунду мимо нее пронесся огромный джип на какой-то дикой скорости.

Время словно залипло в патоке, став тягучим и бесконечным, и Клавдия с ужасом смотрела, как медленно и неотвратимо-страшно, обдавая ее горячей струей рассекаемого на скорости воздуха, проплывает мимо в каких-то сантиметрах от нее лоснящийся черный бок джипа-убийцы, и так же медленно-тягуче она поворачивает голову, провожая его взглядом...

Миг! Как щелчок.

И время вернулось в свое обычное течение. И Клавдия почувствовала, как съеживается перепуганный малыш у нее в животе, как забарабанило сердце от ужаса, как заныли легкие от того, что она задержала дыхание.

— Ничего, ничего, — положила она руку на живот, успокаивая малыша. — Ну что ты испугался, маленький? Все у нас хорошо, все хорошо. Вот видишь, мы с тобой какие молодцы, не полезли под машину. Не бойся, мой хороший, мама тебя в обиду никому не даст. Мама за тебя горло перегрызет. — И все гладила, гладила его и произносила какие-то слова утешения, сама уж не понимая, что говорит.

И услышала сзади чей-то перепуганный голос.

— Вы как?! — прокричал какой-то мужик, внезапно оказавшийся рядом. — Вас зацепило?!

— Нет, не зацепило, — достаточно спокойно ответила она, сама сильно поразившись своему странному спокойствию.

— Ну... — громко выругался мужик русско-народной экспрессивной лексикой и вдруг извинился: — Простите, дамочка, но ведь... — И повторил матом все, что уже сказал об этом джипе, а потом с негодованием спросил у Клавдии: — А разве нет?

— Полностью с вами солидарна.

— Да достали они уже, мажоры эти дебильные!

И тут она сообразила, что это охранник из будки, что он видел, как на нее чуть не наехали, и прибежал сюда на помощь. А охранник, словно услышав ее мысли, принялся успокаивать и заверять:

— Вы не переживайте, девушка! У нас тут камеры везде, все зафиксировали, и номера его видно, как родные.

Он выскочил на тротуар, посмотрел в ту сторону, куда умчался внедорожник, и вдруг радостно потряс кулаками:

— А вон он доездился, придурок, до столба! Припечатался с дури-то! Надо полицию вызвать, протокол они составят и ваши показания возьмут. Как положено. А вы в суд с ними, пусть заплатят!

— Мне сейчас некогда, я потом дам показания.

— Ну что вы, дамочка, — попенял охранник, — так нельзя, он вас чуть не убил, а вы потом... Как так?

— Я сделаю это вечером, — заверила его Клавдия и предложила: — Я сейчас вам оставлю свои данные, да вы их и так знаете, я у вас тут постоянным гостем записана.

— Знаю, профессора Светлова родня, — кивнул охранник.

— Вот вы полицию и известите, — распорядилась Клава каким-то таким тоном, что охранник спорить не рискнул и свое возмущение придержал при себе, только кивнул, соглашаясь.

Клавдия не стала смотреть, куда там врезался этот джип — не будет она смотреть и думать об этом не будет. Если это ее попугать хотели ребята мадам Карно, то пусть хоть поперемрут там оба или поодиночке, сколько там их у нее насобиралось.

Но что-то подсказывало ей, что этот бешеный автомобиль не имеет к француженке ровно никакого отношения. Да зачем, с чего? И глупо получается, не логично ни разу — знать Клавдия ничего не знает, документы не нашла, с чего бы ее давить?

А раз так, то она подумает об этом потом. И подумает, и пожалуется Марку, и потребует справедливого возмездия за то, что ее и малыша так страшно испугали. Но это будет потом.

Почему-то происшествие настолько разозлило Клавдию, придав ей какой-то холодной злости, что захотелось немедленно разобраться с французской мадам и послать ту как можно дальше. И так послать, чтобы у той никогда даже мысли не возникало о Клавдии Невской.

Сумка лежала там, где она ее положила. И альбом с тружениками моря остался нетронутым. С замиранием сердца Клавдия приподняла альбом... и увидела простую дешевую папку серого неприметного цвета из твердой, такой кондовой, пластмассы с резинками-держателями на углах.

Вздохнула глубоко в своей привычной манере и стала рассматривать документы.

Когда она дочитала и перевернула последний документ в папке, желание ерничать у нее напрочь пропало.

Все было очень, очень серьезно. Настолько, что стало реально страшно, до холодных мурашек.

То, что она прочитала, бомба из разряда тех, что взрываются без внешнего шумового эффекта, но имеют куда более разрушительные последствия.

Эти документы...

За такие дела голову простреливают сразу, без предварительных ласк. Или даже с ними, что еще хуже...

Господи боже! Как же так она оказалась в этом абсолютно чужом для нее мире! Как блоха какая на гребешке!

Как так-то?

Ладно, ладно, судорожно соображала Клавдия, успокаивая себя, надо понять, что делать. И делать так, чтобы из всего этого выйти целой и невредимой, без тяжелых последствий.

Первым порывом Клавдии было схватить телефон и набрать Марка.

Но в последний момент палец застыл над экраном смартфона...

«Подожди, подожди!» — остановила она себя, вспомнив вдруг генерала Знаменцева и его ровный, спокойный, ироничный голос, которым он рассказывал ей банальные истины про смартфоны и гаджеты, про все их скрытые функции и возможности.

И резко положила телефон на стол. Если звонить кому, то лучше генералу.

Так, стоп! А почему бы не отдать сразу эти бумаги мадам, и дело с концом? Что она, прирежет Клаву, что ли, за то, что она их нашла? Или как это у них называется? Закажет ликвидацию? А на кой?

Так в чем, собственно, вся ценность информации, содержащейся в этих документах? Она, конечно, бомба и до хрена чего может разрушить и наделать еще тех дел, но...

Но, как известно, любая бомба убийственна, лишь когда она взрывается в нужном месте и в правильное время. А вот с этим-то как раз дела у мадам Карно обстоят самым что ни на есть наилучшим образом.

Или в данном контексте — самым наихудшим для нее.

Все дело в том, что известнейший российский олигарх Ираклий Граничевский, много лет твердо входящий в двадцатку самых богатых людей планеты по версии журнала «Форбс», несколько месяцев назад сделал мадам Анжели Карно предложение выйти за него замуж.

Мадам Карно, как и положено женщине, знающей себе цену, прыгать от радости не принялась, а пообещала подумать и удалилась в свою резиденцию в Каннах. Где, видимо, и думала месяца полтора, после чего благосклонно приняла сделанное ей предложение.

Три месяца назад состоялась официальная помолвка, которую предваряло подписание детально оговоренного и юридически закрепленного брачного договора, состоявшего из какого-то бесчисленного количества пунктов. По настоянию Анжели помолвка проходила в тесном кругу родных и самых близких людей, достаточно скромно, без шумного освещения в СМИ, хотя некоторые кадры, как водится в таких случаях, просочились в прессу, и публика лицезрела поразительно красивую пару, услышав за кадром романтическую историю их встречи и любви, вызывавшую слезы умиления у телезрителей.

По тем сведениям, которые имелись у Клавдии, Ираклий Граничевский был еще той... как там сегодня выразился охранник по поводу водителя джипа? Вот приблизительно той личностью. Достаточно мутное происхождение начального капитала, какие-то темные делишки — она специально не интересовалась, но все же некий флер дурного запашка вокруг его богатства витал всегда. Парочка нашумевших скандалов и финансовых афер, в которых он проходил не то подозреваемым, не то хорошо «отмытым» свидетелем. Мутная личность, одним словом. Что касается личной жизни, то Граничевский сменил уже четырех официальных жен, от которых имел семерых детей, и какое-то количество неофициальных жен, и бессчетное количество любовниц.

И тут, наконец, его настигло настоящее великое чувство в лице непревзойденной Анжели Карно. Романтика зашкаливает — красота страшная!

Лично Клавдии непонятно было только одно — а на кой это было надо самой мадам Карно? Олигарх-то наш явно, как бы это сказать, дворовая шавка, хоть и безмерно богатая, она же женщина породистая.

Да бог с ним, какие интересы имеет мадам в этом союзе. Тут важна натура этого неприятного мужика, его нутро той самой боевой шавки. Он ничего не прощает, как любой «вышедший в князи» из всем известного определенного места, носится со своим преувеличенным достоинством и завышенной самооценкой и такое может сотворить, если кто его обманул, что нормальному человеку и представить невозможно.

И если в его руки попадут эти документы, да даже часть содержащейся в них информации... Ох, вообще-то предположить последствия трудновато, но то, что мадам Карно станет несладко, это факт!

— Так, — тряхнула головой Клавдия, отгоняя лишние сейчас эмоции. — И что мы имеем?

Она недоверчиво покосилась на телефон, лежавший перед ней на стопочках бумаг мадам Карно, и еще разок тряхнула головой, попрекнув себя мысленно — да ладно, это уже паранойя какая-то! Вот к чему приводит тесное общение с генералом внешней разведки.

— Да господи! — взбеленилась Клава на саму себя, схватила трубку и...

Встала, прошла в коридор и, распахнув дверцы одного из стоявших там книжных шкафов, засунула между книгами смартфон. Закрыла дверцы, постояла, посмотрев на тонкую черную пластинку между книг, и прокомментировала свои действия:

— С ума соскочила девица, определенно. Итак, на чем я остановилась? Да, — вспомнила Клава. — Жила себе спокойно мадам все эти годы и жила, горя не знала, богатства наживала. Но тут собралась замуж за олигарха российского. И внезапно откуда ни возьмись всплыли вот эти документы. Для чего? — И сама себе уверенно ответила: — А для денег, для чего же. Вопрос только в том, кого шантажируют и у кого что вымогают. Если Анжели — это одно дело, а если олигарху предлагают убойный компромат на невесту, это совсем другой коленкор. А если третьей стороне...

Клавдия поднялась, походила по проходам между столами, размышляя. Ну хорошо, предположим, она отдает бумаги мадам, где гарантия, что для Клавдии вся история на этом тихо-мирно закончится? Уж больно документы поганые. Это раз. Хотя какой смысл мадам как-то вредить или, того пуще, устранять Клавдию, непонятно. Разве что на всякий случай.

Если же связаться и передать документы той самой возможной третьей стороне, то... То что? То бог его знает, что получится и чем дело обернется, но что смертоубийством — сомнительно как-то. А вот если о содержании документов и о том факте, что они были у Клавдии, прознает олигарх, вот он-то все просто так не оставит.

И что ей делать? Начать самой шантажировать этими документами каждую сторону по отдельности, выторговывая для себя жизнь, здоровье и полное спокойствие.

Ага. Именно тот случай и именно с теми людьми. Это все равно как... как не знаю... как достать нож в происходящей вокруг гангстерской перестрелке, вот как. Столь же продуктивно и с гарантированным итогом.

Спросить, что ли, у Марка?

А вот это нет. Рассказывать ему и таким образом втягивать в эту грязную историю, подвергая какой бы то ни было опасности, Клавдия ни за что не станет. Придется действовать самой.

— Стоп! — остановила она себя. — А почему, собственно, самой? Не надо мне самой действовать. И зачем это мне одной, я им что тут, партизанка героическая? Пусть за меня действуют компетентные люди. — И подняла трубку стационарного телефона, стоявшего у нее на столе, набрала номер, который помнила наизусть, почти радостно пообещав: — Я с удовольствием предоставлю действовать, компетентным-то. — И, услышав знакомый голос в трубке, четко отрапортовала: — Александр Иванович, я тут попала в нехорошую историю, и мне нужна ваша помощь.

Она попыталась было торопливо объяснить вкратце интригу истории, но генерал перебил, спросив, где ее сотовый телефон, усмехнулся, услышав ответ, и посоветовал, раз уж она так далеко зашла в своем конспиративном рвении, быть последовательной до конца и взять телефон у кого-нибудь в издательстве, а потом уж перезвонить ему.

Вроде бы шутил, а может, и нет, ведь трубку-то положил.

Клавдия отправилась на поиски. Никого из ее коллег, понятное дело, в издательстве в субботу не было, нашлась только уборщица, которую она с трудом уговорила дать ей телефон, пообещав даже заплатить ей за использование ее аппарата.

Уборщица хоть и посмотрела на девушку с большим сомнением, видимо, подумав, а чего ты с рабочего-то телефона не звонишь, но промолчала, трубку все же дала. К слову сказать, старенькую совсем модель.

— Я сейчас, — Клава указала ей на дверь в свой отдел, — поговорю и деньги возьму.

— Ну ладно, — не очень охотно согласилась женщина.

Как ни странно, но Знаменцев не стал подвергать сомнениям ни одно слово Клавдии. Внимательно выслушав ее рассказ, дал несколько советов и распорядился:

— Подожди час. Найдешь чем заняться?

— Да, конечно, у меня вечно с избытком хватает редакторских дел, — заверила его Клавдия.

— Хорошо, занимайся. Через час или около того я позвоню тебе на редакторский телефон, с которого ты звонила.

— Там дополнительный еще есть. — И она назвала номер.

— Хорошо. Жди.

Трубку и деньги Клавдия отнесла уборщице, и та взбодрилась, повеселела, убирая в карман пятисотрублевую купюру. И дамы разошлись по своими делам, оставшись довольны друг другом.

Клава нисколько не кривила душой: редакторская работа вечный завал: всегда требуется бесконечное количество рукописей, в ее случае записей, прочесть, отредактировать, исправить, сопоставить факты и даты, продохнуть некогда.

И, занявшись работой, чтобы отвлечься на время нервного ожидания, Клавдия и не заметила, как полностью погрузилась в процесс и даже дернулась всем телом от неожиданности, когда вроде и не громко, но в тишине-то ого-го как оглушительно зазвонил телефон на ее столе.

Александр Иванович спокойным ровным тоном объяснил, что ей следует сделать и как себя вести, и по-отечески пожелал:

— Ты, главное, Клавушка, не бойся и не нервничай, тем более тебе и нельзя в твоем состоянии. Все будет хорошо.

Теперь, конечно, будет. Теперь она наверняка знала, что все будет хорошо. И, положив трубку, почувствовала предательские слезы, на которые стала слаба последнее время, поблагодарила мысленно кого-то там наверху, определенно присматривающего за ней, того, кто выдернул ее сегодня из-под колес бешеного джипа, за то, что он послал однажды ей в жизни великого и совершенно замечательного человека Александра Ивановича Знаменцева. Всем им послали.

Резко выдохнув, Клава смахнула слезинки и решительно направилась к шкафу за своим смартфоном.

Ладно, как говорят монголы: «Если боишься — не делай, если делаешь — не бойся!» А может, и не монголы, генерал-то прав, утверждая, что яркое высказывание не стареет, а меняет своего хозяина. Да бог бы с ними, с монголами-то.

Сделав глубокий вдох, Клава набрала номер Анжели Карно, сверяясь с шикарной визиткой, которую прихватила с собой. Мадам ответила после третьего гудка.

— Я точно знаю, где ваши документы, — коротко оповестила ее Клавдия.

— И что вы хотите за них получить? — ровным, абсолютно нейтральным тоном спросила француженка.

— Спокойную жизнь, — твердо сказала Клава.

— И во сколько вы оцениваете свою спокойную жизнь? — тем же безразличным тоном уточнила мадам.

— Мадам Анжели, — стараясь, в свою очередь, удержать ровный тон, сказала Клавдия. — К худу ли, к добру ли, но я лишена нюха на выгоду. Я ставлю несколько иные ценности в жизни превыше материальных благ. Например, здоровье, благополучие и спокойную, мирную жизнь.

— Я вас поняла, — отозвалась француженка. — Когда я могу получить свои бумаги?

— Ну ваши же друзья наверняка следуют за мной, — предположила Клава и спросила на всякий случай: — Или разбили машину, пытаясь неудачно наехать на меня?

— О чем вы, Клавдия? — поразилась мадам, первый раз подпустив в голос эмоций. — Уверяю, что никто из моих помощников не пытался на вас наехать. — И вдруг заботливо спросила: — Вы не пострадали?

— Нет. Я в порядке, — ответила Клавдия и от растерянности вдруг поблагодарила: — Спасибо.

И явственно услышала в трубке, как иронично хмыкнула Анжели.

— Так что, ваш Андрей где-то рядом? — спросила Клавдия.

— Да, — не стала отрицать Анжели, — знакомая вам машина припаркована у входа в издательство. — И поинтересовалась: — За бумагами надо куда-то ехать?

— Мадам Анжели, — дружески обратилась к ней Клавдия, — ваш Андрей забрал у меня мой любимый портфельчик, а водитель так и вовсе с бандитской внешностью, по крайней мере, затылок у него точно бандитский, вот не хочется мне почему-то с ними общаться, и все тут. У нас рядом с издательством небольшой скверик, может, подъедете, и мы побродим, посидим и побеседуем. А?

— Я вас поняла, Клавдия, — ответила мадам Карно и, помолчав, сказала: — Хорошо. Я приеду минут через пятнадцать и перезвоню.

Она позвонила через двенадцать минут (Клавдия засекала время). Впрочем, это ни о чем не говорило — суббота, последние теплые, волшебные сентябрьские деньки, люди стараются выбраться на природу, машин на дорогах совсем мало.

Клавдия предупредила охрану, что ей надо будет вернуться, вышла из здания и, спустившись по лестнице, подошла к шикарному белому лимузину. Пока она к нему приближалась, спешным порядком с водительского места выскочил шофер, не тот, с «бандитским затылком», что вез ее с вокзала, другой, и распахнул заднюю дверцу, из которой показалась точеная женская ножка в туфельке на каблуке. Мадам Карно, как всегда, была безупречна, великолепна и изысканна.

— Здравствуйте, Клавдия, — поздоровалась она, чуть улыбаясь.

— Здравствуйте, мадам Анжели, — ответила Клава.

— Значит, с собой документов у вас нет. — Мадам Карно легким кивком подбородка указала на маленькую дамскую сумочку, висевшую на шее Клавдии.

— Да, — кивнула Клава, — я оставила их в издательстве. На всякий случай.

И чистосердечно рассказала, как забыла сумку в редакции, ненароком упомянув, что мысли ее были заняты важными размышлениями, поэтому-то она про сумку и вспомнила лишь сегодня. И описала папку и перечислила, сколько документов в ней находится и какие именно.

— Вы их читали, — поняла мадам и задумчиво посмотрела куда-то поверх головы Клавдии.

— Читала, — подтвердила та и спросила: — Если б я принялась уверять, что не читала, вы бы поверили? Или это что-то изменило бы?

— Я бы поверила, — улыбнулась одними уголками губ мадам и предложила: — Давайте пройдемся.

И они двинулись вперед неспешным, размеренным шагом. Мадам какое-то время молчала, явно что-то обдумывая, а может, вспоминая, и заговорила тихим, но твердым голосом:

— Я осталась сиротой в десять лет. Родители утонули. Плавали на лодке, внезапно налетел шквалистый ветер, лодка перевернулась, маму ударило бортом, и она сразу пошла на дно, папа пытался ее спасти, и утонули оба. Я осталась с бабушкой. Мы с ней хорошо жили, она у меня замечательная была, интеллектуалка и мудрая женщина и при этом смешливая, легкая на всякие затеи. Очень многому меня научила. Когда мне исполнилось пятнадцать лет, одному бывшему товарищу, очень богатому, сильно приглянулась наша квартира, но бабушка категорически отказалась ее продавать — считай, родовое гнездо. И буквально через пару дней после своего отказа она умерла при странных, невыясненных обстоятельствах. Меня должны были тут же отправить в интернат, а уж там, без меня, все с нашей недвижимостью решилось бы максимум за неделю в его пользу. Девяносто пятый год, даже смешно возражать, негодовать и на что-то надеяться. Но я отказалась идти в интернат и все же надеялась на справедливость: писала заявления в милицию, обратилась к знакомому адвокату, пряталась у подруг и родственников от представителей социальной службы, пытавшихся меня выловить и запихнуть в учреждение, бегала от милиции. Иногда по ночам пробиралась домой и сидела там, не зажигая света. Вот в одну такую ночь и пришел за мной... — Она посмотрела на Клавдию и улыбнулась: — В документах же нет его настоящего имени-фамилии?

— Если вы говорите об Архиерее, то в документах упоминается несколько фамилий и имен, которыми он пользовался, есть ли среди них настоящее — неизвестно, — подтвердила Клава.

— Да, его настоящее имя и фамилия так и остаются засекреченными, — кивнула, улыбаясь, Анжели. — Я называла его Костей, он мне представился этим именем... Давайте присядем, Клавдия.

Присели. Мадам, все вглядываясь куда-то вперед, может, в свое прошлое, продолжила рассказ:

— Я не слышала, как он пришел, он просто появился из темноты: черный силуэт на чуть более светлом фоне. Я даже не испугалась, ожидала чего-то подобного, но умирать боялась. Очень боялась. Только потом, гораздо позже, я узнала, что он не убивает женщин и детей, таково было его условие, при котором он согласился на эту работу.

Черная тень присела на корточки перед девочкой, прятавшейся в углу между шкафом и кроватью, и произнесла красивым мужским голосом:

— Отдай им все, что они хотят, и иди в интернат. Жизнь дороже, девочка.

— Какая жизнь? — строптиво спросила она. — Интернатская? Сиротская? Одинокая и никому не нужная жизнь? — и гордо заявила: — Пусть убивают, хоть щенком приблудным жить не буду, насиловать, продавать и торговать мной никто не станет и никакому козлу не достанусь.

— Любая жизнь, девочка, дороже, — усмехнулся он. — Только жизнь можно изменить и побороться за себя и за нее, смерть изменить нельзя.

— Ты пришел меня убивать, вот и убивай! — крикнула она, хлопнула рукой по кнопке выключателя лампы, стоявшей рядом на тумбочке, и вскочила на ноги.

А когда свет вспыхнул...

— А когда зажегся свет, я поняла, что смотрю на мужчину всей своей жизни. На мою единственную любовь, — грустно улыбнулась Анжели. — У меня даже не мысли такие сформировались в уме, они пришли позже, сперва меня просто накрыло осознание этого факта, — снова замолчала, задумавшись и улыбаясь чему-то внутри себя. — Костя мне потом признался, что почувствовал то же самое. Мне пятнадцать, ему тридцать лет, и никакого извращения в этом не было. Никогда. Я приняла его за убийцу, которого наняли, чтобы меня убить, а оказалось, он наш с бабушкой новый сосед, снимавший квартиру рядом, которого я никогда раньше не встречала, но он был в курсе нашей беды — ему рассказала хозяйка квартиры, — и он решил помочь пропадавшей девчонке.

— Помог?

— Помог, — усмехнулась Анжели. — Только не совсем так, как положено по законам романтической истории. Убил убийцу, которого на самом деле наняли и послали в ту ночь ко мне. Бизнесмена, позарившегося на нашу квартиру, убивать не стал, но бизнес его каким-то чудесным образом оказался переписан на меня. Как уж он это сделал, не ведаю. Я много чего про его дела и возможности не знаю, хотя мы и были единственными самыми близкими и самыми родными людьми на земле друг у друга. За несколько дней жизнь моя бесповоротно переменилась. Бизнес, ставший внезапно моим, и наше родовое гнездо вместе со всем содержимым были проданы, деньги переведены на счета в швейцарский банк и банк Люксембурга на мое новое имя. Да, у меня появилось новое имя, новая биография, новое место рождения, садик, школа, родные-близкие и друзья и все это, каждый факт моей новой биографии подтверждался настоящими документами и справками. Костя был очень дотошен в делах, не упускал ни одной мелочи, ни одной даже самой, казалось бы, незначительной детали.

— Но сделать документы — это не так чтобы просто даже в то время, — засомневалась Клавдия.

— Да, — согласилась Анжели и посмотрела на нее. — Но вы даже не можете представить всех его возможностей, дарований, навыков и талантов. Костя был уникальным специалистом. Я уверена, что вряд ли в той папке, которая у вас, есть документ, однозначно подтверждающий, кем он был на самом деле и откуда у него эти многочисленные навыки.

— Нет, такого документа, где это прямо указано, я не нашла, — подтвердила Клавдия. — Но намек на определенное учреждение есть.

— Да что там намек! — легко махнула ладошкой Анжели. — Костя был действующим офицером госбезопасности. Он был не просто штатным убийцей, нет, разумеется. Он был специалистом наивысшего уровня и, что важно, исполнял приказы, поступавшие от наивысшего руководства. Именно так. Всем известным киллерам, якобы профессионалам того времени, до его уровня было как до луны. По сравнению с ним они просто дети в песочнице. Если ему отдавали приказ на то, чтобы смерть «клиента» выглядела естественной, то она была куда как более естественной, самой естественной из возможных. И никогда никаких следов — все тщательно и скрупулезно продумано до самых незначительных мелочей.

— А вы... — запнулась, смутившись, Клавдия, но все же задала свой вопрос: — Вы знали про то, что он...

— Ликвидатор? — подсказала нужное слово Анжели, иронично улыбнувшись, и ответила: — Да, знала. Практически с первого же дня нашей встречи. Само собой, я понятия не имела о его заказах, о его истинных способностях, возможностях и талантах, но то, что он убивает людей по приказу, он мне сказал. Да и невозможно было бы остаться в неведении, мы были постоянно вместе, и я слушалась его во всем и даже в чем-то помогала, понятное дело, что по мелочи всякой. Думаю, его начальство спустило нашу связь на тормозах только потому, что посчитало, что я стану тем самым слабым местом, через которое можно будет давить на Костю.

— То есть он на самом деле исполнял приказы руководства страны?

— Клавочка, — снисходительно посмотрела на нее мадам Карно, — вы же умная девочка, вы же прекрасно понимаете, что во все времена абсолютно все государства проводили свою политику одними и теми же способами. В этом нет ничего нового и удивительного.

— Но, судя по документам, Архиерея официально объявили преступником и, что называется, сказали «фас» всем службам и войсковым частям на его поимку?

— Да, так и было, — подтвердила Анжели. — Девяносто девятый год, Костя получил приказ на ликвидацию одного из самых влиятельных полевых командиров в Чечне, но, когда уже был готов его выполнить, проведя всю предварительную работу, приказ отменили, и ему поручили ликвидировать другой объект. А через день после этого его фотографию показали по всем федеральным каналам, представив как киллера-беспредельщика, и объявили на него охоту по всей стране. Но его и искать-то не требовалось, потому что спецслужбы получили точные координаты его местонахождения.

Анжели замолчала, справляясь с эмоциями, но Клавдия чувствовала, как внутри этой необыкновенной женщины клокочут застарелый гнев и боль, которые ей удается обуздывать и сдерживать силой своей воли уже многие годы. — Три недели

Костю гоняли по горам, но он был так хорош, что уходил от нескольких сотен силовиков, окружавших и ловивших его. И все же его достали. Это было неизбежно. За время побега Костя не ранил и не убил ни одного из тех, кто его ловил. Вот и в этот раз, уходя от погони, он намеревался прыгнуть в реку с моста, но в него стреляли, и когда Костя забрался на парапет, в него попало сразу несколько пуль.

— В документах отмечено, что тело его не нашли, — подсказала Клава, ужасно сочувствуя Анжели.

— Нет, не нашли, да это было и невозможно. Бурная горная река, сплошные каменные глыбы и мощный водный поток между ними. Специально никто бы не полез в реку искать, а его не выбросило на берег, скорее всего, прибило куда-то под камни. Местные жители говорят, что если животное или человек попадали в эту реку, их тела никогда не выбрасывало на берега.

— Его сдали? — Это вообще-то был очевидный факт, но Клавдия все же спросила.

— Разумеется. В те годы кого только не сдавали, все жаждали разбогатеть любым путем и как можно скорей. А уж те, кто был причастен к тайнам и политике, хапали и продавались практически в открытую. Костю сдал человек, не являвшийся его непосредственным начальником, но благодаря своему званию имевший доступ к информации о нем. Это даже неинтересно. Деятель этот давно сбежал, продал всех, кого мог, получил свои сребреники и довольно неплохо жил какое-то время.

— Какое-то? — ухватилась за намек Клава.

— Это не важно. — Анжели твердо посмотрела Клаве в глаза. — Человек заболел и вскоре умер от тяжелой болезни.

— Откуда вам известны такие подробности про приказы и гибель Архиерея?

— Информация о его смерти, скажем так, была прощальным жестом в мой адрес от его руководства.

— Прощальным? — переспросила Клава.

— Да. За полгода до гибели Кости я ушла от него. — И она снова прямо посмотрела в глаза Клавдии, явно желая передать больше, чем говорила. — Костя был на задании уже несколько месяцев, я училась в университете на инязе и на одной студенческой вечеринке познакомилась с Жаком. И влюбилась, увлеклась ужасно. Он сделал мне предложение, я сказала об этом Косте, он меня отпустил и благословил. Он прекрасно понимал, что люди его профессии не живут долго и погибают трагически, увлекая за собой всех своих родных и близких, если таковые у них имеются. Мне он такой участи не желал. Вот и отпустил. Мы с Жаком уехали во Францию, где и поженились, а через полгода я получила известие о гибели Кости.

И подробности его гибели, и имя предателя, продавшего его.

— А Граничевского вы тоже полюбили? — мягко поинтересовалась Клава.

— А вы считаете, что его можно полюбить? — спросила мадам, вернувшись к своей обычной манере легкой, чуть надменной иронии.

— Ну-у-у, — с большим сомнением посмотрела на нее Клава, — мало ли, в жизни всякое случается.

— Экая вы тактичная девочка, — легко рассмеялась мадам Карно. — Но в одном вы правы: в жизни случаются порой такие чудеса, которые не приснятся даже в самом бредовом сне. Ираклий Граничевский увидел меня на одном закрытом светском мероприятии и воспылал чувствами. Как он утверждает, я его первая и единственная любовь. Он долго и упорно красиво за мной ухаживал, не жалея средств на широкие жесты. И столь же долго и настойчиво я отказывала ему.

— И что, покорил? — В Клавдии уже взыграло чисто женское любопытство.

— Какая вы все-таки романтическая особа, Клавдия, — попеняла ей, улыбаясь, Анжели. — Покорить, как вы изволили выразиться, меня господин Граничесвский не мог бы ни при каких условиях.

— Но как же тогда... — растерялась Клавдия.

— Просто, очень просто, — улыбнулась ей Анжели. — В какой-то момент на меня вышли бывшие кураторы Кости и настоятельно предложили сделку: я выхожу замуж за Ираклия Романовича, способствую осуществлению их интересов в адрес этого гражданина, а они ликвидируют документы, в которых сказано, что известная мадам Анжели Карно когда-то была Анжеликой Ивановой, близкой подругой и соратницей киллера Архиерея. И оставляют меня в покое на все времена.

— Как это? — обескураженно уставилась на нее Клава.

— Клавочка, вы же умная девочка, что вы тупите-то? — попеняла ей вдруг по-простецки мадам Карно. — Обыкновенно. Как делается всякая политика путем подкупов-шантажей, договоренностей и компромиссов, откупов и угроз. Все, как обычно: победителей не судят, проигравших не щадят. Только одно хоть немного оправдывает этих господ — то, что стараются они все-таки в интересах государства. Но мне от этого, как вы понимаете, не легче.

— Ужасно, — посочувствовала Клавдия и вздохнула: — А такую романтику изобразили во всех СМИ, фотографии ваши на всех журнальных обложках, а получается как у Вишневского прямо: «Все вроде с виду в шоколаде, но если внюхаться, то нет».

— Очень точно подмечено, — горько усмехнулась мадам Карно.

— И в разгар романтической шумихи всплывают эти документы. А кстати, откуда они взялись-то и почему попали именно к Лощинскому?

— Все просто. Нашелся один сотрудник, привлеченный к данной операции, который оценил возможность заработать на такой информации, продав ее Ираклию Граничевскому. Он сумел изъять несколько документов, но его уровень не позволял достаточно быстро напрямую выйти на олигарха, потребовалось бы задействовать для этого много людей, связей, договоренностей, а действовать необходимо было очень оперативно, только вскорости была его единственная возможность получить деньги и, что самое главное, с ними скрыться. Хотя очень глупо для человека, служащего в таком ведомстве, полагаться на это наивное «скрыться». Но жадность и не то с людьми творила. Адвокат Лощинский имел прямой выход на Ираклия, он вел развод с одной из его жен и хорошо знаком с отцом решившего заработать офицера.

— Ладно, а как вы узнали об утечке и почему именно вы занялись поиском документов, а не те, кому положено этим заниматься?

— А этого я вам не скажу, Клавдия, не обессудьте, — сказала мадам Карно и поднялась со скамьи. — Ну что ж, надеюсь, я ответила на все ваши вопросы?

— Нет. — Клавдия тоже встала со своего места. — Зачем было отбирать у меня портфель с документами и устраивать разгром в квартире? Да еще ужасно пугать меня и пытаться совершить наезд?

— Клавдия, — серьезным тоном заверила ее Анжели, — даю вам свое честное слово, что к этому автомобилю ни я, ни мои люди не имеют никакого отношения. Это ужасная случайность. Да и сами посудите, какая в этом логика?

— Логики никакой, а припугнуть можно было, — почти согласилась Клавдия.

— Да бросьте вы, — отмахнулась мадам Карно и повторила иронично: — Пугать! Вы и так были достаточно мотивированы, чтобы как можно быстрее найти эти документы.

— Разгромом квартиры и беседой с вашим Андреем?

— Не преувеличивайте, — попеняла ей мадам. — Вы не знаете, что такое настоящий обыск, когда выламываются полы, раскурочивается вся мебель, подоконники, разрезаются матрацы и подушки. А что касается вашего портфеля, то документы мы вам вернем сегодня же.

— А... — начала было Клавдия, но француженка остановила ее жестом руки.

— Я думаю, я рассказала вам все, что хотела рассказать, — сказала мадам Карно и неожиданно спросила: — Вы не хотите воды? От этих неприятных разговоров у меня во рту пересохло.

— Да, да, конечно, — поспешно предложила помощь Клавдия. — У нас в издательстве есть кулер и автоматы с водой.

— Благодарю, — светским тоном отказалась мадам и указала рукой в направлении своего лимузина. — У меня в машине есть все, что мне необходимо.

Молча, каждая думая о своем, дамы направились к автомобилю. Возле распахнутой задней дверцы стоял в ожидании шофер. Клавдия только сейчас обратила внимание на то, что у этого водителя такая же совершенно незапоминающаяся внешность, как и у Андрея. Интересно, подумалось ей, мадам помощников с такими постными, как скомканный белый лист, внешностями специально набирает?

Анжели, подойдя к распахнутой дверце, почему-то отдала водителю свою дамскую сумочку и, жестом указав на салон автомобиля, предложила:

— Не желаете воды или сока, Клавдия?

Конечно же, у Клавдии моментально обнаружился приступ сильной жажды, не тревоживший до этого ни намеком, а красочное воображение услужливо нарисовало картинку в виде запотевшей бутылки холодной воды.

— Да, я... — проблеяла нечто невнятное Клавдия, махнув рукой в направлении издательства.

— Зачем же там, — перебила ее мадам. — У меня прекрасная французская вода.

— Спасибо, — поблагодарила, сдаваясь, Клавдия.

И тут же хотела было забраться в салон, но Анжели, чуть придержав девушку за локоток, тихо произнесла по-французски, почти в самое ухо Клавдии:

— Оставьте свою сумочку шоферу, Клавдия.

— А? — распрямилась та, настороженно посмотрев на мадам.

Анжели Карно только многозначительно кивнула. Клавдия поняла ее так, как и следовало, то есть чувствуя спокойную внутреннюю уверенность, что все в порядке и бояться ей нечего. Стянула через голову ремешок, сняла сумку и передала ее в уже протянутую руку шофера. И сразу же забралась в салон.

Следом за ней, не теряя ни грамма своего величия, неторопливо устроилась на заднем сиденье мадам Карно. Шофер закрыл за дамами дверцу и остался снаружи.

— Эта машина специальным образом защищена от прослушивания и проверяется несколько раз в день на предмет обнаружения транслирующих и записывающих устройств внутри салона, — пояснила как нечто само собой разумеющееся Анжели Карно и иронично усмехнулась. — Кстати, подарок Граничевского.

— Круто, — оценила несколько ошарашенная Клавдия.

— Можно и так сказать, — усмехнулась Анжели, — но я бы назвала это неким сарказмом судьбы.

— Потому что вы проводите в этом автомобиле переговоры, нацеленные на его разорение? — выдвинула свою версию Клавдия.

— Да господь с вами, Клавдия, — попеняла ей Анжели. — Никто не собирается разорять господина Граничевского, ровно наоборот, его капиталы старательно охраняются и преумножаются не без помощи того же государства.

— Тогда какой смысл заставлять вас выходить за него? — немного растерялась Клавдия.

— А вы еще не поняли? — удивленно приподняла бровку Анжели и попеняла в очередной раз: — Ну что ж вы, Клавочка, вы же очень умная девушка.

— Его хотят... — изумилась Клава, четко осознав, на что намекает, да нет, не намекает — говорит практически прямым текстом француженка.

— В последние годы непозволительно много обогатившихся криминальным путем за счет государства граждан смогли покинуть Россию, введя свои активы в финансовые структуры иностранных государств, и получить, скажем, безупречную лондонскую прописку или американскую, — разъясняла ей реалии мадам Карно. — Это недальновидно. Конечно, вашему правительству постепенно удается выигрывать международные суды и возвращать какие-то капиталы и долги, но процесс это долгий, волокитный и непредсказуемый.

— То есть капиталы Граничевского...

— А вам его жалко, что ли? — с удивлением посмотрела на нее Анжели.

— Ну, как-то это... — протянула Клавдия.

— Я понимаю, — усмехнулась Анжели, — с вашей тонкой душевной организацией и преувеличенной интеллигентностью хорошо воспитанной девочки сложно переварить простую грубую жизнь с ее реалиями. Вы сами-то замечаете, что вы разговариваете чистым, не засоренным современным сленгом языком?

— И какое отношение имеет мое воспитание к той теме, что мы обсуждаем? — строптиво возразила Клавдия.

— А такое, что вы сочувствуете даже мрази, — довольно жестким тоном пояснила ей Анжели. — Граничевский был тем самым последним «клиентом» Кости, которого он должен был устранить. Ираклия Романовича хотели убрать еще в начале девяностых. Даже при всем беспределе, который творился тогда в стране, то, на чем он зарабатывал свой начальный капитал, было за гранью любого злодеяния. Он не гнушался ничем: наркотики, продажа людей в рабство... Но основной его доход шел от так называемого сексуального туризма иностранных граждан с любыми формами извращений за огромные деньги и предоставление им детей всех возрастов и полов и девушек в прямом смысле на убой. То есть их реально убивали. Но Ираклий предоставлял возможности удовлетворить любые извращенные сексуальные наклонности не только иностранным гражданам. Потому-то он так быстро и высоко поднялся. В то время извращенцев разного рода хватало и среди людей, облеченных властью, внезапно разбогатевших на дележе государственной собственности, и они с удовольствием пользовались его услугами. Разумеется, за огромные деньги. Ну а Ираклий, не будь дураком, тщательно снимал на видео все их утехи. Этот человек точно знает, что за деньги и за страх можно манипулировать кем угодно, и умело пользуется этим по сей день. И тот, кто слил Костика в девяносто девятом, был хорошо оплачиваемым агентом Граничевского. Когда поступил приказ о ликвидации Ираклия, он и провернул всю эту операцию по устранению Архиерея.

— Мерзко все это, — не удержалась от высказывания Клавдия.

— Как говорится, если вы любите большие деньги, политику и колбасу, вам лучше не знать, как они делаются, — усмехнулась мадам. — Ничего не меняется в этом мире, и главным врагом человека были и остаются его собственные пороки. Вы все же слишком чувствительная девушка, Клавдия.

— Я очень далека от политики, больших денег и колбасы, — уточнила свой статус Клава, — и я весьма рада этому обстоятельству. Только вот угораздило, пропади оно совсем, вляпаться в эту вашу историю.

— Это история вашей страны, Клавдия, — напомнила ей Анжели и посоветовала: — Не расходуйте свою жалость на людей подобного рода и приберегите для других людей свои принципы человеколюбия. И чтобы вы не страдали так уж сильно, намекну, что рубить голову курице, несущей золотые яйца и имеющей на них эксклюзивные права, весьма недальновидно, проще держать ее под контролем, пусть и весьма жестким.

Клава не ответила. Отвернулась, задумавшись, посмотрела в окно через затонированное стекло, снова посмотрела в глаза мадам Карно и неожиданно спросила:

— Вы его сильно любили?

И увидела, как всего лишь на мгновение промелькнула в этих прекрасных голубых глазах застарелая боль, ставшая, видимо, вечной, и что-то еще, что-то еще, она не успела понять: взгляд снова стал закрытым, отстраненным и нечитаемым. И все же Анжели ответила:

— Да, очень сильно.

— И вас не отвращало то, чем он занимался, то, кем он был? — тихо спросила Клава, чтобы не потревожить момент откровенности.

— То чувство, что связало нас, — заговорила Анжели тихим голосом, и Клавдия непроизвольно даже замедлила дыхание, — было больше и мощней, чем любовь в привычном нам понимании. — Женщина повернулась и посмотрела на Клавдию. — Такое чувство никогда не бывает безответным. Оно дается сразу двоим, соединяя людей в одно целое, когда они чувствуют и понимают друг друга как самого себя, словно переходят в какую-то иную, измененную реальность. И тогда становится совершенно безразлично и уже не имеет никакого значения род деятельности человека, его прегрешения и деяния, и он может быть кем угодно: убийцей или праведником, священником, дворником, пьяницей и дебоширом, идиотом или мудрецом. Константин был мужчиной всей моей жизни, частью меня, а свои половинки мы не выбираем, они даются нам свыше. И то если вам очень повезет.

Она замолчала, и Клавдия вдруг подумала, что если бы она потеряла Марка, то, наверное, и жить бы дальше не смогла, нет, смогла как-то, не умерла бы физически, но это была бы уже не она. А может, и умерла... Вот и Анжели теперь совсем не та девочка Анжелика Иванова, что любила своего Архиерея больше жизни, — другая личность, другой человек, но не умерла же. А может...

— И как же вы вышли тогда за Карно и оставили своего Костю? — не удержалась от вопроса Клавдия.

— А это он меня за него и выдал, — усмехнулась Анжели. — Костя его нашел, и они о чем-то договорились между собой, мне так и не удалось узнать о чем. Жак никогда не признавался, хоть я и расспрашивала весьма настойчиво. Но свое обещание Косте оградить меня от всех бед и забот, холить и лелеять он сдержал в полной мере. Он меня очень поддержал и помог мне. После смерти Константина мы с ним, в общем-то, довольно хорошо жили. Наверное, Костя предчувствовал свою скорую гибель, поэтому решил обезопасить меня заранее. Вот и выдал замуж за состоятельного француза, да и я к тому времени была девушка с весьма приличным приданым, Костя и об этом позаботился.

— И погиб, — закончила за нее Клавдия и... ну не могла она не переспросить, не могла, и все тут: — А он точно погиб? Ведь его так и не нашли?

— Он погиб, Клавдия, — печально улыбнулась ей Анжели. — У таких людей и таких историй не бывает happy end. — И, меняя тон на деловой, мадам Карно подытожила: — Ну что, Клавдия, я ответила на все вопросы, на которые могла дать ответ.

— Да, спасибо, — поблагодарила Клава и поинтересовалась: — Только я хотела спросить, почему вы вообще решили мне что-то объяснять и так много рассказали?

— Кажется, я уже не раз упоминала, что вы умная девушка, — улыбнулась ей мадам Карно. — А рассказала я эту историю, потому что искренне вам симпатизирую, вы чем-то напомнили мне меня еще ту, наивную, юную, любящую без памяти. Вы интересная, яркая личность, и мне нравится то, что вы делаете. Только, на мой взгляд, вам пора подумать над тем, чтобы создать собственное произведение, а не записывать истории за другими людьми, какими бы самобытными и мощными личностями те ни являлись. У вас великолепный литературный вкус, интеллектуальная наполненность текста и талантливый слог. Бросайте вы этих стариков с их воспоминаниями, напишите что-то сильное, захватывающее, свое. Я в вас верю.

— Спасибо, — поблагодарила Клавдия еще раз и не удержала в себе то, что чувствовала: — Я от всего сердца сочувствую всем вашим бедам и утратам. И тому, на что вы себя обрекаете, согласившись на эту сделку.

И предательские слезы навернулись у нее на глаза.

— Знаете, — Анжели вдруг протянула руку и смахнула со щеки Клавдии слезинку, поразив девушку этим своим жестом, — я не отмечаю свой день рождения. Никогда. На это есть причины. И все мои друзья об этом знают и поздравляют только через неделю после даты. На прошлый мой день рождения совсем ранним утром кто-то позвонил в дверь. Это оказался посыльный. Он вручил мне роскошный букет настоящих живых кустовых розовых роз, какую-то коробку и кружку еще дымящегося горячего какао. Когда-то давным-давно, совсем в другой жизни, бабушка готовила для меня необыкновенное какао. Долго варила на молоке и добавляла в него корицу и мед. Я обожала этот напиток, каждый раз, когда я его пила, закрывала глаза и почему-то представляла себе бирюзовое ласковое море, пальмы, горы, уходящие в голубое небо. Какао, что принес мне посыльный, было именно таким, тем самым, из моего детства, на молоке и с корицей, а в коробке обнаружились три небольшие картины — потрясающие акварели, изображавшие бирюзовое море, какие-то острова и зеленые горы, упирающиеся серыми каменными вершинами в голубое небо.

— Наверное, очень красиво, — шмыгнула носом Клавдия, окончательно расплакавшись, — и очень романтично. Вы узнали, кто это прислал?

— Нет, — улыбнулась одними уголками губ мадам Карно. — Дело в том, Клавдия, что в этом мире не осталось в живых ни одного человека, который бы знал про то бабушкино какао и мои детские мечты о далеком, беззаботном и счастливом острове в бирюзовом море. Ни одного!

Клавдия застыла, не в силах оторвать завороженного взгляда от лица этой поразительной женщины. А Анжели посмотрела вперед и, усмехнувшись, указала кивком головы на окно:

— А это, по всей видимости, за вами.

Клава проследила за ее взглядом и увидела через лобовое стекло, как решительным, целеустремленным шагом направлялся по дорожке прямо к автомобилю, в котором они сидели, Марк Светлов с самым недовольным видом, на который был способен: губы сжаты, брови нахмурены, глаза прищурены.

— Из того, что мне удалось узнать, — рассматривая его сквозь стекло, поделилась мадам Карно, — Марк Светлов очень талантливый ученый, говорят, даже гениальный и весьма сложный человек, не признающий компромиссов, прямолинейный, жесткий, частенько так и вовсе занудливый.

— Это не имеет значения, — улыбалась сквозь слезы Клавдия, глядя на своего трудного человека. — Это мужчина моей жизни, куда ж теперь деваться.

— Да, деваться некуда, — почти весело согласилась с ней мадам Карно и спросила: — Он отец вашего ребенка?

— Он, — подтвердила Клавдия и, оторвавшись от созерцания разъяренного Марка, почти дошедшего до машины, посмотрела на Анжели: — Вы догадались, да?

— Это нетрудно, — кивнула француженка и пожелала от всего сердца: — Удачи вам, Клавдия, и терпения. Любовь у вас уже есть, а с этим мужчиной терпение и удача вам определенно понадобятся.

— Спасибо, — только и успела поблагодарить Клавдия, когда рывком распахнулась дверца машины с ее стороны и полный негодования мужчина всей ее жизни поинтересовался грозным профессорским тоном:

— И зачем вы здесь закрылись?

И, подхватив Клавдию под локоток, выдернул ее из салона.

— Здравствуйте, Марк Глебович, — поздоровалась с ним мадам Карно, расслабленно откинувшись на спинку сиденья и иронично поглядывая на профессора.

— Здравствуйте, — все же ответил на приветствие Марк и запоздало спросил: — Я заберу у вас девушку?

— Откуда ты здесь? — поинтересовалась Клава.

— Оттуда, — в очередной раз весьма информативно ответил профессор Светлов.

А дальше закрутилась кутерьма..

Откуда-то появился незнакомый мужчина с «волшебным» удостоверением, открывшим ему и Марку, так и не отпускавшему руки Клавдии, свободный проход в издательство.

В редакторской комнате Клавдия передала бодрому мужчине с удостоверением, открывающим все двери, заветную серую папку с документами, на полном серьезе поинтересовавшись, не даст ли он ей какую расписку, что документы, дескать, ею добросовестно сданы.

На что Марк и полномочный представитель органов, переглянувшись, уставились на девушку как на деревенскую дурочку.

— Нет? — порассматривав выражения их лиц, переспросила Клавдия и согласилась: — Ну ладно, не надо так не надо.

И именно в этот момент ее как выключило, и навалилась вдруг какая-то жуткая слабость, ноги подкосились, а тело словно налилось свинцом, Клавдию качнуло, и, возможно, она даже упала бы, если б Марк не успел подхватить ее и усадить в кресло.

И внезапно — непонятно отчего и почему вообще, — она вдруг зарыдала, прямо потоком каким-то слезы полились без удержу. И Клава все пыталась, рвалась сказать что-то, но получалось бессвязно и бестолково, и она сама не понимала, что хочет объяснить и какие слова из нее рвутся на свободу, и хваталась за Марка — за его одежду, за руки, и смотрела, не отрываясь, в его лицо, боясь оторвать от него взгляд, почему-то ей казалось ужасно важным постоянно видеть его.

И все цеплялась, цеплялась за него, а он, прижимая ее одной рукой к своему боку, куда-то шел, отвечал каким-то людям, встречавшимся им на пути, о чем-то громко говорил по телефону...

В какой-то момент, захлебываясь и утопая в слезах, Клавдия принялась объяснять ему, как ужасно, зверски испугалась, когда ее чуть не задавил джип, и как испугался малыш внутри ее, и обещала, что найдет этих гадов вот прямо сейчас и что-нибудь сотворит с ними ужасное, чтобы они больше никогда не пугали малышей и их мам. И требовала, чтобы Марк пообещал помочь ей найти и разобраться с этими уродами, он кивал и обещал.

А она все говорила, говорила, и слезы, попадавшие ей на губы, пузырились от ее горячих, неистовых слов и разлетались брызгами...

Клава не осознавала, как они оказались в машине и что они куда-то едут, только продолжала крепко держаться за Марка и вглядываться в его лицо и плакала, плакала, рассказывая, как безумно жалеет Анжели, потерявшую родного человека.

— Если бы ты погиб, понимаешь... — экспрессивно объясняла она, — я бы умерла прямо рядом с тобой, в тот же день, это же невозможно жить, если тебя нет! Получится без тебя, это же как? — и принималась плакать новой волной. — А ей приходится, ты представляешь, любимого человека нет, а жить приходится...

А Марк прижимал ее к себе, кивал, и у него на скулах ходили желваки от бессильной ярости перед ее страданиями и невозможности чем-то помочь прямо сейчас, давно прекратив всякие попытки успокоить ее, и только торопил водителя, и так старавшегося изо всех возможностей ехать быстрей.

Клавдия проснулась, как очнулась от бредового черного обморока, ничего не помня и не понимая. Она открыла глаза и увидела перед собой потолок.

Обычный потолок, но почему-то показавшийся ей знакомым, вон то пятно на нем точно какое-то знакомое, повернула голову набок и обнаружила еще и знакомый шкаф, а за ним и часть комнаты, поняла, что лежит на кровати Марка в его квартире. Клава перевернула голову в другую сторону и увидела самого Марка, спящего поверх одеяла на второй половине кровати почему-то в домашних джинсах и изрядно помятой футболке.

Хотелось пить. Это первое, что почувствовала Клавдия, и зашевелилась под одеялом, намереваясь встать с кровати. Марк, видимо, уловивший это ее движение, открыл глаза, и взгляд его сразу же сделался озабоченным.

— Как ты себя чувствуешь? — спросил он охрипшим голосом.

— Не знаю, — честно призналась Клавдия. — Пить очень хочется.

— Я принесу, — пообещал Марк, приподнялся на локте, придвинувшись поближе, и внимательно всмотрелся в лицо Клавдии. Похоже, что он увидел в нем что-то обнадежившее, поэтому кивнул, коротко поцеловал ее в щеку и в лоб и встал с кровати.

Оказалось, что ходить за водой никуда не нужно, бутылка и стакан стояли наготове на небольшом столике у окна.

Клавдия долго жадно пила, затем перевела дыхание и спросила:

— Как я здесь оказалась? — И повела вокруг рукой, державшей стакан, уточняя определение «здесь».

— Ты не помнишь?

— Что именно? — переспросила Клава и нахмурилась. — Я передала этому товарищу из органов папку, потом мне стало как-то плоховатенько, и ты усадил меня в кресло, а потом... потом я заплакала и... Нет, не помню. Так, что-то отрывочное.

— У тебя началась истерика, — забрав у нее стакан, объяснил Марк, — спровоцированная сильнейшим стрессом, беременностью и испугом за ребенка.

— А?.. — Клавдия непроизвольно прикрыла рукой живот.

— Нет, нет, — поспешил успокоить ее Марк, присев на кровать, и наклонился поближе, — с малышком все в порядке.

— Откуда мы это знаем? — тоном наводящего вопроса подсказала Клавдия.

— Когда я тебя сюда привез, нас уже ждал врач, срочно присланный ребятами из конторы, а я успел, пока мы ехали, проконсультироваться по телефону с Амирой Ашотовной, описав твое состояние и спровоцировавшие его события — то, что вы с ребенком чудом избежали аварии.

Клавдия кивнула, соглашаясь с его решением не упоминать про историю с документами.

— Она дала свои рекомендации, а врач, которого прислали из конторы, сделала тебе успокоительный укол, безопасный для малыша, и ты заснула.

— А ты почему заснул в одежде? — подергала она его за рукав футболки.

— Сначала общался с доктором, которая целый час наблюдала за твоим состоянием, потом беседовал с приехавшим Александром Ивановичем и его коллегами. Поработал немного, надо было подождать и проследить за твоим сном. Вскоре, как и предполагала доктор, ты начала беспокойно крутиться, и я сделал тебе еще один укол — мне она показала, как и куда надо колоть. А потом так и заснул рядом.

— А как вся эта история с Анжели закончилась?

— Для нас хорошо и окончательно, — придвинувшись еще ближе, заглянул он ей в глаза, — для нее, как я понял, все еще продолжается.

— А как ты очутился возле издательства? — Клавдия вдруг сообразила, что его там и близко не должно было находиться.

— Мне позвонил Александр Иванович. — И тут же пожурил недовольно: — А должна была поставить в известность ты сама.

— Не должна была, — строптиво возразила Клава, — не хватало еще тебя втягивать в эти дела и подвергать опасности.

— Клав, — заверил ее спокойным тоном Марк, — я и так уже в этих делах, поскольку к ним имеешь отношение ты.

— Ну ладно, — почти согласилась Клава, — но зачем ты такой весь грозный и недовольный вытащил меня из машины?

— А потому что вы там закрылись и непонятно что делали, — снова грозно заговорил Марк. — Все нервничают, и, что происходит, никто не понимает. В какой-то момент мне это все надоело, я и пошел за тобой.

— Ну вот мы и закончили с этими делами, — с грустью улыбнулась Клава и спросила: — А что с нашими делами, Марк?

— Как что? — не понял он сути вопроса. — Все в порядке с нашими делами.

— А поконкретней? Может, у нас с тобой разное понимание порядка в делах.

— Как у нас может быть разное понимание, Клав, если оно всегда одинаковое? — удивился профессор.

— Да как же одинаковое, — хмыкнула Клавдия, — все эти годы я хотела жить с тобой, быть с тобой, а ты боялся и не хотел. Разве ж это одинаковое?

— Клав, — скривился от недовольства Марк, — ты же знаешь, критику я признаю, но не приветствую. Мы уже обсудили с тобой и признали, что это было ошибкой в расчетах, теперь можно просто жить дальше, стараясь не делать ошибок.

Она вытащила из-под одеяла руки и притянула его к себе, Марк с удовольствием, словно только этого и ждал, поддался, просунул руки ей под спину и обнял-прижал, уткнувшись лицом в ее шею, нагревая горячим дыханием ключицу.

— Ты мне даже толком в любви не признался, — укорила его Клавдия, — так, мимоходом один раз.

— Ну в какой любви, Клав, — ворчливо попенял ей Марк. — Что я тебе скажу: «Клавдия, я тебя люблю», так, что ли? Ерунда какая-то. — Он помолчал, сопя в ее ключицу, и от его дыхания Клавдии становилось щекотно, но она терпела и улыбалась, пока он не видит, слушая его самое важное признание в жизни. — Помнишь, я тебе как-то рассказывал, что многие законы в макро- и микродинамике и в физических процессах описываются одними и теми же уравнениями, которые разнятся между собой лишь используемыми в них определяющими зависимость переменных параметрами, коэффициентами и константами, которые и отражают базовые, глубинные основы данного описываемого процесса и закономерности природы этого процесса? Ты есть такая вот определяющая константа моей жизни. Понимаешь?

— Угу, — отозвалась Клава, даже головой покачала, хоть он и не видел.

— Коэффициент и главная константа уравнения, описывающего меня, законы природы моей жизни, базовые, глубинные основы моего существования как такового. Понимаешь? — Он вытащил руки из-под ее спины и отстранился, чтобы видеть ее лицо.

— Понимаю, — уверила его Клавдия со всем пылом. — Если поменять или убрать меня, то есть ту самую константу, то это станет другое уравнение. Правильно?

— Не другое, — растолковывал Марк. — Уравнение станет описывать совсем иной процесс, то есть совершенно другого человека, не меня. То есть без этой константы природный процесс становится совершенно другим.

— Проще говоря, — подвела итог Клавдия, стараясь сохранить серьезный тон, — ты без меня не можешь жить. Я правильно поняла?

— Но это же очевидно, — согласился профессор с такой упрощенной трактовкой, но не мог не растолковать окончательно: — Именно это я тебе и объясняю.

Через полгода по всем новостным каналам мира прогремела ураганной волной горячая новость:

«Известный российский бизнесмен Ираклий Граничевский во время круиза по Средиземному морю, который совершал со своей молодой женой, гражданкой Франции мадам Анжели Карно, катаясь на водном скутере, не справился с управлением. Скутер налетел на скалу и потерпел крушение. Ираклий Граничевский получил тяжелейшие травмы и находится на грани смерти, мадам Карно доставлена в больницу с многочисленными травмами разной степени тяжести и сотрясением мозга. По настоянию мадам Карно и родственников господина Граничевского ее вместе с мужем срочно транспортировали в швейцарскую клинику спецрейсом их личного самолета. Подробности происшествия мы сообщим в наших следующих выпусках...»

Алексей Маркович Светлов, довольно посапывая и поглядывая на склонившееся над ним лицо мамы, придерживая ладошкой ее грудь, словно опасаясь, что та может куда-то внезапно деться, старательно и с удовольствием изволили откушивать.

— Какое-то странное дело! — Марк недоуменно поворачивал в разные стороны довольно большую и явно тяжелую коробку с фирменным логотипом известной логистической компании.

— Это курьер приходил, что ли? — спросила Клавдия, удивляясь не меньше мужа.

— Да, два курьера, — подтвердил тот, поставив коробку на журнальный столик, и посмотрел на жену. — Еще и букет доставили. Красивый, между прочим, и здоровый. Есть предположения, от кого и что это такое?

— Нет, но мы можем вскрыть ее и узнать хотя бы про «что это такое», а там, глядишь, подтянется и «от кого», — весело предложила Клавдия, — если, конечно, это не ошибка.

— Не ошибка, — уверил Марк, проверяя надпись на коробке, — тут указан наш адрес, наши фамилия и имена-отчества.

Алексей Маркович Светлов издал непонятный звук и насупил бровки, выказывая недовольство вмешательством в его размеренный процесс принятия пищи.

Клавдия усмехнулась и переложила сына на другую руку. Малыш поворочался с тем же недовольным, нетерпеливым видом, но, получив заветную грудь, успокоенно вздохнул и занялся делом.

— Ну что, открываем? — спросил у Клавдии Марк.

— А то, — поддержала его жена, — не смотреть же на нее.

Решили, что нет, не смотреть, и Марк, сходив за ножницами и ножом, принялся вскрывать упаковку и первым делом извлек из коробки небольшой пакет с чем-то мягким внутри. В пакете оказался совершенно фантастический, потрясающий костюмчик для младенца-мальчика от известного дизайнера. Не костюмчик, а сказка: настоящие брючки, кипельно-белая рубашечка с жабо, жилеточка на крохотульных пуговичках и пиджачок, и даже галстук и бабочка в придачу таких умильных миниатюрных размерчиков — сюсюшечки сплошные до умильной слезы.

— Так, и что это нам объясняет? — произнес Марк, вертя в руках костюмчик.

— Пока ничего, но коробка большая, — радовалась Клавдия.

Посылка оказалась доверху заполнена уникальными, дорогущими вещами для младенца мужского пола — какие-то совершенно потрясающие ползуночки, распашонки, комбинезончики, кофточки и курточки, носочки, чепчики-шапочки. С каждой новой распакованной вещью Марк с Клавдией недоумевали все больше и больше, решительно ничего не понимая.

И только на самом дне обнаружилось что-то недетское, а еще одна плоская коробка, из которой Марк извлек две небольшие картины — великолепные художественные работы, написанные маслом, запечатлевшие два разных берега, объединенных одним бирюзовым морем. Полюбовавшись полотном, Марк перевернул одну из картин и прочитал надпись на заднике холста:

— «Свободные Карибы».

— А в букете, который принесли, настоящие кустовые розы? — спросила Клавдия.

— Да, — еще больше удивился Марк и спросил: — Ты что-то понимаешь?

— Понимаю, — загадочно улыбнулась Клавдия и посмотрела на наевшегося и тихонько заснувшего у нее на руках довольного сынишку.

Она совершенно твердо знала, что где-то далеко-далеко, за тридевять земель от нее и спящего у нее на руках Алексея Марковича Светлова, на прекрасном зеленом острове в бирюзовом море, под лазоревым небом одна загадочная, удивительная женщина обрела свою иную реальность и свое иное измерение, в которое могла попасть лишь соединившись со своим единственным мужчиной, данным ей свыше...

Литературно-художественное издание

Алюшина Татьяна Александровна

ФОРМУЛА МОЕЙ ЛЮБВИ

Ответственный редактор *В. Смирнова*
Младший редактор *И. Кузнецова*
Художественный редактор *Е. Анисина*
Технический редактор *О. Лёвкин*
Компьютерная верстка *Е. Мельникова*
Корректор *Т. Кузьменко*

ООО «Издательство «Эксмо»
123308, Москва, ул. Зорге, д. 1. Тел.: 8 (495) 411-68-86.
Home page: www.eksmo.ru   E-mail: info@eksmo.ru
Өндіруші: «ЭКСМО» АҚБ Баспасы, 123308, Мәскеу, Ресей, Зорге көшесі, 1 үй.
Тел.: 8 (495) 411-68-86.
Home page: www.eksmo.ru   E-mail: info@eksmo.ru.
Тауар белгісі: «Эксмо»
Интернет-магазин : www.book24.ru
Интернет-магазин : www.book24.kz
Интернет-дүкен : www.book24.kz
Импортёр в Республику Казахстан ТОО «РДЦ-Алматы».
Қазақстан Республикасындағы импорттаушы «РДЦ-Алматы» ЖШС.
Дистрибьютор и представитель по приему претензий на продукцию,
в Республике Казахстан: ТОО «РДЦ-Алматы»
Қазақстан Республикасында дистрибьютор және өнім бойынша арыз-талаптарды
қабылдаушының өкілі «РДЦ-Алматы» ЖШС,
Алматы қ., Домбровский көш., 3«а», литер Б, офис 1.
Тел.: 8 (727) 251-59-90/91/92; E-mail: RDC-Almaty@eksmo.kz
Өнімнің жарамдылық мерзімі шектелмеген.
Сертификация туралы ақпарат сайтта: www.eksmo.ru/certification

Сведения о подтверждении соответствия издания согласно законодательству РФ
о техническом регулировании можно получить на сайте Издательства «Эксмо»
www.eksmo.ru/certification
Өндірген мемлекет: Ресей. Сертификация қарастырылмаған

Подписано в печать 11.07.2019. Формат 84х108 $^1/_{32}$.
Гарнитура «Ньютон». Печать офсетная. Усл. печ. л. 18,48.
Тираж 12000 экз. Заказ № 6974.

Отпечатано в ООО «Тульская типография».
300026, Россия, г. Тула, пр. Ленина, 109.

16+

Москва. ООО «Торговый Дом «Эксмо»
Адрес: 123308, г. Москва, ул. Зорге, д. 1.
Телефон: +7 (495) 411-50-74.   **E-mail:** reception@eksmo-sale.ru

По вопросам приобретения книг «Эксмо» зарубежными оптовыми
покупателями обращаться в отдел зарубежных продаж ТД «Эксмо»
E-mail: **international@eksmo-sale.ru**

International Sales: International wholesale customers should contact
Foreign Sales Department of Trading House «Eksmo» for their orders.
international@eksmo-sale.ru

По вопросам заказа книг корпоративным клиентам, в том числе в специальном
оформлении, обращаться по тел.: +7 (495) 411-68-59, доб. 2261.
E-mail: **ivanova.ey@eksmo.ru**

Оптовая торговля бумажно-беловыми
и канцелярскими товарами для школы и офиса «Канц-Эксмо»:
Компания «Канц-Эксмо»: 142702, Московская обл., Ленинский р-н, г. Видное-2,
Белокаменное ш., д. 1, а/я 5. Тел./факс: +7 (495) 745-28-87 (многоканальный).
e-mail: kanc@eksmo-sale.ru, сайт: www.kanc-eksmo.ru

Филиал «Торгового Дома «Эксмо» в Нижнем Новгороде
Адрес: 603094, г. Нижний Новгород, улица Карпинского, д. 29, бизнес-парк «Грин Плаза»
Телефон: +7 (831) 216-15-91 (92, 93, 94). **E-mail:** reception@eksmonn.ru

Филиал ООО «Издательство «Эксмо» в г. Санкт-Петербурге
Адрес: 192029, г. Санкт-Петербург, пр. Обуховской обороны, д. 84, лит. «Е»
Телефон: +7 (812) 365-46-03 / 04.   **E-mail:** server@szko.ru

Филиал ООО «Издательство «Эксмо» в г. Екатеринбурге
Адрес: 620024, г. Екатеринбург, ул. Новинская, д. 2щ
Телефон: +7 (343) 272-72-01 (02/03/04/05/06/08)

Филиал ООО «Издательство «Эксмо» в г. Самаре
Адрес: 443052, г. Самара, пр-т Кирова, д. 75/1, лит. «Е»
Телефон: +7 (846) 207-55-50. **E-mail:** RDC-samara@mail.ru

Филиал ООО «Издательство «Эксмо» в г. Ростове-на-Дону
Адрес: 344023, г. Ростов-на-Дону, ул. Страны Советов, 44А
Телефон: +7(863) 303-62-10.   **E-mail:** info@rnd.eksmo.ru

Филиал ООО «Издательство «Эксмо» в г. Новосибирске
Адрес: 630015, г. Новосибирск, Комбинатский пер., д. 3
Телефон: +7(383) 289-91-42.   E-mail: eksmo-nsk@yandex.ru

Обособленное подразделение в г. Хабаровске
Фактический адрес: 680000, г. Хабаровск, ул. Фрунзе, 22, оф. 703
Почтовый адрес: 680020, г. Хабаровск, А/Я 1006
Телефон: (4212) 910-120, 910-211.   **E-mail:** eksmo-khv@mail.ru

Филиал ООО «Издательство «Эксмо» в г. Тюмени
Центр оптово-розничных продаж Cash&Carry в г. Тюмени
Адрес: 625022, г. Тюмень, ул. Пермякова, 1а, 2 этаж. ТЦ «Перестрой-ка»
Ежедневно с 9.00 до 20.00. Телефон: 8 (3452) 21-53-96

Республика Беларусь: ООО «ЭКСМО АСТ Си энд Си»
Центр оптово-розничных продаж Cash&Carry в г. Минске
Адрес: 220014, Республика Беларусь, г. Минск, проспект Жукова, 44, пом. 1-17, ТЦ «Outleto»
Телефон: +375 17 251-40-23; +375 44 581-81-92
Режим работы: с 10.00 до 22.00. **E-mail:** exmoast@yandex.by

Казахстан: «РДЦ Алматы»
Адрес: 050039, г. Алматы, ул. Домбровского, 3А
Телефон: +7 (727) 251-58-12, 251-59-90 (91,92,99). E-mail: RDC-Almaty@eksmo.kz

Украина: ООО «Форс Украина»
Адрес: 04073, г. Киев, ул. Вербовая, 17а
Телефон: +38 (044) 290-99-44, (067) 536-33-22. **E-mail:** sales@forsukraine.com

Полный ассортимент продукции ООО «Издательство «Эксмо» можно приобрести в книжных
магазинах «Читай-город» и заказать в интернет-магазине: www.chitai-gorod.ru.
Телефон единой справочной службы: 8 (800) 444-8-444. Звонок по России бесплатный.

Интернет-магазин ООО «Издательство «Эксмо»
www.book24.ru

Розничная продажа книг с доставкой по всему миру.
Тел.: +7 (495) 745-89-14. E-mail: imarket@eksmo-sale.ru

ISBN 978-5-04-103544-0

ТАТЬЯНА
ТРОНИНА

Дочери Евы

В этих книгах –
загадки настоящего и тайны прошлого, столкновение
характеров, иногда перерастающее в противоборство, и,
конечно, истории невероятной любви.

В НИХ ВСЁ О ДОЧЕРЯХ ЕВЫ…

Юлия
Лавряшина

Авернское
озеро

Юлия
Лавряшина

Наваждение
Пьеро

Интересные характеры, сложные отношения героев и, конечно же, традиционные семейные ценности — это черты фирменного стиля

Юлии Лавряшиной

Читатели любят ее романы за напряженный сюжет и психологическую глубину.

Юлия
Лавряшина

Навеки
твой

Юлия
Лавряшина

Просто
вспомни
обо мне...

Ольга Покровская

Герои этих произведений не идеальны,
они мечутся и совершают множество ошибок,
однако есть то, что спасает и оправдывает их
в любой ситуации. Это любовь — настоящая,
яркая, всепобеждающая.
Читая книги Ольги Покровской, вы будете
смеяться и плакать, восхищаться
и негодовать, но никогда не останетесь
равнодушными.